星に帰れよ

新胡桃
ARATA KURUMI

河出書房新社

星に帰れよ

「ココーテって一体何？　世界の隅まで冒険し隊、春の特別編！」

　映し出されたテロップの感嘆符までをも律義に読んだその時、鼻血が落ちた。

「お姉ちゃん、独り言うるさいよ」という妹の声。痛みなしに鮮やかな血が体の外へ飛び出てくる事、自分が血と肉をでっぷり蓄えた生き物である事が怖い。人間である生々しさは、確かにここで息づいているのだ。

　ココーテという語の響きから、すぐに私は遠い国の民族を連想した。瞬く間に口が渇く程の熱い外気、ギラギラと日焼けした男たち、長い睫毛の赤子に乳を与える、ふくよかな女たち。そして未開の集落に紛れ込んだ冒険者。

「ココーテは体長約一メートルの哺乳類です！」

　私の空想はむなしく打ち砕かれた。その間にも、床には物騒な点々模様が広がっていく。

ティッシュティッシュ、と声に出して部屋を見渡すと、モノが果てしなく散乱し、渦となっていた。靴下の山、角が折れたプリントのかさなり。自堕落と妥協が淀んで、重い空気を吐き出している。飲み込まれると憂鬱。でも片付けない、面倒くさいから。

じっとり赤く染まった右手で卓上ティッシュを抜き取る。人を殺《あや》めてしまったみたいだと思い、あわてて鼻に詰め物をした。

コヨーテはオオカミに似ているがキツネのような太い尻尾をもつ動物で、北アメリカに生息するらしい。開始五分で謎を解いてしまうこの番組の大胆さには少し興味があるが、私は電源ボタンを押した。途端に液晶がおとなしくなる。

嘘と冗談の違いを教えて欲しい。不謹慎とか冗談とかオチ、そんな言葉をモットーに生きる人間として、切にそう思う。

スマホの通知音がけたたましく耳に障った。「今回もめっちゃ面白いよ」「モルヒネほんと最高」「また百万再生いくかなー」砂利に心臓をこすり合わせたような心地がして、私はすぐに電源を切る。ブ、と短く震えたのを感知すると、ゴミ箱へとそれを投げ入れた。ついでに詰め物も鼻から抜いて投げたが、軌道が少しずれて、音もせずにフローリングへと着地してしまった。これは私の鼻腔《びこう》の型だから、ある意味で個人情報だなと少しだけ考えたが、そのままにしておく。

「いってきまーす」

私はもうとっくにしおらしくなった小鼻を撫《な》で、財布を手に夜へと紛れ込んだ。

自分に特別な事をしてあげたくなる、そんな夜に。

1

「店内でお召し上がりですか？」

「いや、持ち帰るので」

ありがとうございました、の声を背に俺が向かった先は公園。まだ生暖かい九月下旬の夜中、あつあつのチーズバーガーを静かにバッグへと入れる。

花火大会を通り越した郊外の星空は、ふと見上げた人々の足を止めさせるくらいの価値がある。でもそれだけ、それだけしかないくせに俺を見下しているから気に食わない。

客には笑顔で接し、煙草は決められた場所で。この国を円滑に回している常識のさまざまを、ふと考えた。深夜に男子高校生が公園のベンチに腰掛けているのは世間のマナー的にどうだろうか。誰かといちゃついているわけでもなし、不審なだけだろうか。考え事やめ。時計塔は十二時ちょうどを指していた。

ハッピーバースデー俺。

今、真柴翔《ましばしょう》は晴れて十六になった。ジュウゴ、よりも高校生感がちょっと増した響きの一方で、背丈はさほど伸びていない。

スポーツ選手みたいな体型だったら俺、もっとモテたろうな、いやその前にこの童顔をどうにか、そもそも早見《はやみ》はどんな男がタイプなんだ。ジャニ系かKポップ系か。やっぱ吉沢亮が理想なのだろうか。

早見麻優《まゆ》。

お父さんが好きだったタレントとほぼ同じ名前なんだよね、と隣の席で苦笑していた早見。すらっと背筋が伸びていて色黒、締まった脚に大きな目。天然パーマを一つに結わえている。かわいい。それだけじゃない。グループワークで「真柴、ちゃんと作業して」とむくれる彼女のノートには付箋がぎっしりだ。俺はわざといびきをかく。ますます頬を膨らませるしっかり者の早見。「もう、いつもハゲは……」と口を尖らしていた（ハゲじゃねーし、と飛び起きる俺）。テスト返却でいつも拍手をもらう早見。体育会系に見えてピアノが弾ける早見。ワイシャツの袖から見える華奢で小麦色の早見、の腕。ぺたんこの胸。その色気の無さにかえって俺はドキドキが止まらない。単純な好みだけでは片付けられない魔力が早見にはあると、本気で思う。

スマホを取り出し、ＳＮＳのアイコンに映る私服姿の早見、を食い入るように見た。毎夜欠かさない日課だ。

明日は席替え。

いつまでも天《あま》の邪鬼《じゃく》ではいられない。消しゴムを拾ってもらったあの時、「ありがとう」を素直に言えなかった。からかい合いでしかまともなコミュニケーションを取れず、不甲斐ない自分。でも明日は違うのだ。違う俺なのだ。大丈夫。

声に出して言ってみる。好きです、俺と付き合ってください。好きです、俺と付き合ってください。どうにもサマにならず、声変わりを卒業したばかりの青い声帯を呪った。それでも言い続ける。部活と同じだ。練習の積み重ねが結果に大きく響くのだ。「好きで」

「なにやってんの?」

ブランコのギーコギーコ、という音と共に子供のような笑い声が届いた。俺は驚きすぐに振り向く。

なんとなく耳に馴染みがあるが、誰だろう、

「私だよ、モルヒネ」

あっけらかんとした笑顔がそこにはあった。度肝を抜かれた俺の様子が相当面白かったらしく、モルヒネは「ちょっと、間抜けすぎ」と途切れ途切れに言いながら、腹を抱えて笑いだした。俺はだんだん恥ずかしくなる。さっきの予行演習も、見られていたのか。

「お前、一丁目に住んでたの」

しばらくしてから遮るように言うと、徐々に笑いが鎮まっていく。そうだよー、

と言いながらゆっくりとあいつは地面に立った。ジャリ、と砂が擦《こす》れる。取り残されたブランコの軋《きし》み方は素直で、モルヒネの動きをぎこちなくコピーしていた。赤い座面が振り子のように揺れる。

「一丁目からうちの高校来てんの珍しいよね。近所住まいのクラスメイト発見したの、初めてかも」

それな、と返しながらも、俺は少し戸惑う。まさしく猫の額ほどの広さしかないこの公園は、少し道を外れた場所に位置していた。近所にはコンビニと住宅、たまに畑があるのみ。どう頑張っても深夜帯に寄るのは安全ではない。こいつは何をしに来たのだろう。

「てか真柴こんな所で何してんの、危なくない？　そうそう、痴漢とかって若い男子も狙われるからね。油断しない方が良いよー、今何時」

俺の腕時計に急に目を近づけたモルヒネを見ながら、確かに俺も人の事は言えないな、と思い直す。チーズバーガーの温かみが、トートバッグを通して膝にじわりと伝わってきた。こいつがいなくなったら心置きなく食べられるんだけどな。

こいつは男女みんなから「モルヒネ」と呼ばれている。理由はよく知らないが、名前が日根とか比根なのだろうか。だとしても物騒すぎやしないか。それより大きな問題として、モルヒネは早見と仲がいい。俺は脳内にあるモルヒネの情報を片端から並べてみる。こいつは俗に言う「不思議ちゃん」で、女子には愛されているけど大多数の男子には引かれがち。いや、不思議「ちゃん」というよりただの不思議で、そこには可愛らしさのかけらもない。声がデカく、授業中に排水口のようないびきをかく。「数学の単位がやばい」という共通項から親しくなったという男子もときたまいるから、関わってみたら気さくな奴なのかもしれない。

もっとも今は、生ハムのパックを手に深夜の公園を徘徊《はいかい》しているが。

「で、なにやってんの？　夜空に求愛してたけど。そういうオタク？　あの、鉄道オタクが車両に興奮しちゃうとかそういう感じの。空フェチとはなかなか歯ごたえある趣味してんね、それはそれで青春？」

急に馴れ馴れしい絡み方をしてくる。しかも口が達者だ。こんな奴に出くわしたのは痛い。明日にでも俺の行いに尾ひれを付けて拡散するつもりだ。

「お前には関係ねえよ」

穴があったら入りたいような心地で、俺は口を尖らせた。

「あ、そう。つまんな」

モルヒネの笑みは崩れなかった。摑《つか》みどころのない奴って、苦手だ。わずかばかりの沈黙ののちにふと奴が口を開く。

「私さ、さっき十六になったんだよね」

え？　と聞き返すと、じゅうろくだって、じゅうろくじゅうろく、と三回繰り返された。

「誕生日前夜って興奮して眠れないんだよ、朝になったらラインめっちゃ来てて、私も一日だけ有名人気分を味わう平凡な大衆の一人になるんだ、とか、お菓子やコスメをくれる、女子力を武装した刺客もいるんだろうな、とか考えるけど、どうしてもその前に自分がご褒美あげたくて」

そう言って生ハムを顔の横にもってくる。ずい、と俺の方へ顔を近づけるこいつの目には、女子特有のこちらを窺うような試すような、小悪魔的作為が少しも含まれていなかった。俺はほんの少し後ろに下がる。異性だからとか、そんな話した事ないからとか、そういう意識を言動に組み込まず距離を詰めてくるのは、モルヒネだからこそと言える。記憶の限りいつもこんな感じだ。

「深夜に生ハムとか塩分過多だろ」

「いや最初の感想それ？　落胆したぞ、もっとなんかあるでしょ」

「うーん、プレゼントあげ合う文化、男にはないから」

俺も今日誕生日なんだよ、とは言わなかった。話題を提供する事で〝夜空求愛事件〟をうやむやにしても良かったのだが。新しい話を与え、会話を進める事さえ癪《しゃく》に思えた。なんとなくこいつが信用できない。膝で持て余した熱は、だんだん体温に溶け始めていく。もってのほかだ、という目で俺はトートバッグの隙間を覗いた。もし俺がここでチーズバーガーなんか食いだしたら、終わりだという感じがする。目の前をカクカクした軌跡で蚊が通り過ぎた。

「すごくない？　もう夕方になってもカラオケから締め出される屈辱には遭わないんだよ、私」

十六歳最強か、とつぶやきながら生ハムのパッケージをモルヒネはぺりぺり剝がす。人工的なピンク色の薄いかたまりが、俺からもちらっと見えた。

「正気？　素手で食うの？」

「悪い？」

「いや衛生的にどうなんだよ」

「コンビニのトイレでさっき手洗ったから大丈夫」

汚ね、と言いながらも俺は笑った。モルヒネは丸い目を瞬《またた》いてきょとんとする。

が、すぐに肉をちぎって口に放り込んだ。うまく嚙み切れないらしく、眉間にしわを寄せながら長い事顎を動かしている。変な奴。

「お前おもしれーな」

何の他意もない。グラスの外側につく水滴のように、ごく自然な感想だった。

でも瞬間、顔が曇る。

「ごめん、その褒め方やめて」

季節の波に取り残されたセミが一匹だけ、リズムに固執してもがき喚《わめ》くのが聞こえる。モルヒネは言葉を継ぎ足した。

「今日は大事な日だから、私は私でいるのをお休みするって決めたの、家出る時に。普通であろうってね。だけど今、それは無理だって分かった。私が違うと思っていた私は実の話、本物の私なんだね。それにだんだん意識的な肉付けをして、今の私がいるんだ。肉は癒着してどんどん無意識の動作を実行していく。私はビスケットの方が好きだよ。深夜に生ハムとか塩分過多でしょ。おかしい、それにむくんじゃう。でも買った。なんでだと思う?」

俺はモルヒネの顔を見なかった。何に怒っているのか見当もつかず、怖かった。

こいつなら言われ慣れているだろうとも思っていた。だってモルヒネは面白いから。クラスの女子の常套句《じょうとうく》でもある。モルヒネ、面白いね。そう言われたこいつが「私、エンターテイナーだから」と得意げに返していたのを思い出す。

「そっちの方が面白いからだよ。稚拙な理由だと思わない？　私の中で、食欲よりも面白さの美徳が勝っちゃったわけだ。真夜中の公園で女子高生が生ハム食べてたら面白いな、って。無意識にそう思ってた。私は自分を大事にするより先に、他人からの好奇を煽《あお》りたかったんだよ。誰に会うかなんて分かんないのに、学校に行くわけでもないのにね。虚《むな》しくてたまらないよ」

漏れる嗚咽《おえつ》を隠すように言葉をハキハキ並べ、モルヒネは泣いていた。俺は呆《あっ》気《け》にとられつつも言葉を探す。女子を泣かせた事なんてない。だから言うべき事が分からない。

「俺本当に、その、なんていうか」

いや、泣いているその理由が摑めない。だから励ます事も出来ない。でも俺の発言が何かしらのトリガーを引いてしまった事は確かだ。

「ごめん」

謝った。

「違う」

否定された。モルヒネはキッと俺を見据え、首を振る。

「真柴は何も悪くないじゃん。これはただの愚痴。私があまりにも私自身にのまれかけたから、つい泣いちゃったの。君は被害者、私が加害者」

だから、とモルヒネは続けた。

「謝るのは私の方だよ。ばったり会っただけのクラスメイトが突然泣き出したりしてごめん。面倒くさくて、ごめん」

言い終えたモルヒネは堂々としていた。目は少しの赤みも帯びず、ただこちらを見ている。電灯の無機的な光のせいで青みをまとったその姿は、何か底気味悪い印象を放っていた。気圧《けお》されつつも俺は聞く。

「なんか嫌な事でもあったのかよ」

「別に」

「なら、いいけど」

全然良くもなければ納得もしていない。でもこれ以上こいつの事情に踏み込むのも野暮《やぼ》だと思った。

「じゃあね」

あくびをひとつ放ち、モルヒネは路地の方へと歩き出した。影が薄く伸びる。しかし出口のポール付近で立ち止まると、何かを思い出したのかこちらを振り向いた。大きな声を弾ませる。

「告白の練習してたんでしょ！　頑張ってね！　知らないけど応援してる！」

マジめっちゃ響いてる待ってほんとにやめろ、と俺が慌てるさまを見て、あいつはけらけら笑った。

時計塔は一時を指している。

ビクビクするだけ無駄だった。朝の教室は変わらない様相で、ほどよく砕けた机の並びにはいつものメンバーが配置されている。おはよ、と色んな奴に声を掛けられ、ああ、とかおう、とか返して俺も定位置についた。

スマホの画面をスワイプしてツイッターを開く。昨日見つけたモルヒネのアカウントは動いてさえいない。ネットで俺の奇行が拡散されたわけではないらしい。つい安堵のため息が漏れる。

狐につままれたような気分だった。昨夜の事は夢のようで、霞《かす》みつつ、しかし確かに思い出す事が出来る。本当に妙な奴だ。

「ごめん、その褒め方やめて」

面白いなんてくだらない、そう軽蔑するような目のモルヒネに俺は、でも、と言い返そうとしていた。

面白いって思われたいんじゃないの、お前。

だからそんなキャラしてるんだろ。

それってそんなに悪い事なの。

何がどうしてあいつの気に障ったのか分からず、それだけがしこりとなって胸に居座る。

早見は黒板の前の方で、モルヒネに頬をつつかれていた。いつもより女子の輪が濃い密度だから、内緒話の最中といった所だろうか。モルヒネも早見もその輪に隠れ、やがて見えなくなる。

他愛《たあい》ない話を大声でしている女子より、声を潜めて何か囁《ささや》き合う時の女子の方が断然、俺にとって遠い。違う種の生物だといたく実感してしまう程に遠い。でも、その彼女たちは生々しい程に「女子」をしている。牙を剝くポメラニアンとか、爪を立てる三毛猫、毒針を仕込んだクラゲみたいな。可憐さに一さじの意地悪を含んでいる女子の形態に、俺はどうしようもない恐怖を覚える。たぶん、他の奴らもそうだ。それを分かっていて恋したり結婚したり、セックスして子供をコロコロ作ったりするのだ。相容《あいい》れない事、理解不能な事、二人は絶対に他人である事。それらから興味が芽生える。興味から恋が芽生える。

ふと輪が崩れて、視力検査表のCのような形になった。隙間から出てきたのは早見。モルヒネがキョロキョロとあたりを見回しながら楽しそうにしている。それを他の女子が固唾《かたず》をのんで見守る、という具合だ。一体何が始まるのだろう。俺は後ろの席の奴に大声で話しかけ、気を紛らわした。

さして仲が良いわけではないが、話しかけたり切り上げたりするタイミングは完全にこっちのペース。最初から目を合わせてこない。そういう人間はたいてい文化部に所属していたり、アイドルアニメのストラップを持っていたり、色が白かったり、早口だったりする。俺みたいに運動部で見境なく人と話す色黒の奴を怖がる。別に陰キャとか陽キャとかどうでもよくね、気負わずに喋ろうぜ、と俺は思うけれど、その手の奴らは暇つぶしに丁度いい。くちゃくちゃ噛んで飽きたら捨てるガムだ。こいつの苗字なんだっけ、と思いつつ朝テレビで見た話題を適当にこね回す。目の前のガム君が目を伏せて返答にまごつくのを見て、「ちょ、キョドりすぎ」とか「物理の宿題みせてくんね?」とか言葉を投げる。

瞬間、何か破裂する音がして、はじけるような拍手が女子の輪を包んだ。

「モルヒネ、誕生日おめでとう!」

おめでとうおめでとうおめでとう、と早見のメッセージに他の奴も続く。クラッカーなんか鳴らしちゃって、後片付けどうすんの。喜びで飛び跳ねているモルヒネにピンクの包みを渡す早見。

俺はピンと伸びたその背中にヤジを投げた。

「あと五分で先生来るぞ」

「いつもは謹厳実直ただのハゲ、そんなクソ教師坂出《さかいで》も私の誕生日は祝ってくれるからノープロブレムだな」

真顔でそうのたまうモルヒネに笑いながら、早見はどこからともなく取り出したちり取りの尻を、床にトントンと打ち付けた。今から綺麗にするから大丈夫。

私ってテキパキしてるからさ。真柴、ちょっとくらいは尊敬してくれてもいいんだよ？

澄んだ声が、床の木目に従って真《ま》っ直《す》ぐ進んでくる。はちきれそうな鼓動にたちまち支配された俺の前を通りかかると、早見はしゃがみ込んで何かをゴソゴソとやり始めた。そして俺の机の上に紙切れを置く。

「落ちてた」

いやこれ俺のじゃねーし、てかただのゴミじゃん。そう言いかけ、思わず口をつぐんだ。

真柴へ。放課後、四号館の空き教室で待ってます。

誰にも言わないでね。早見麻優より。

紙くずに書かれたそれを目にジュッと焼き付けるように、何周も何周も読み返す。

あいつが掃除用具入れのドアを閉めたその瞬間に、担任が教室に入ってきた。

何でそこに立っているんだ。もうチャイムは鳴ったんだぞ。小言に追われるように、早見は俺の隣に着席する。照れくさそうにおくれ毛を触る。

俺は心の中でガッツポーズをした。ハゲ教師の話が左耳から右耳へするりと抜けるようで、まるで頭に入ってこない。やったやったやったやったやった十中八九これは告白だ。早見が俺に。予想外。なんで今日なのだろう。夏休み中にかけたパーマが功を奏したとか。

俺は髪を撫でつけながら、どこまでも上がる口角を抑えきれず後ろを向く。勢いにおされて、ガム君が肩をびくつかせた。

「なあガム」

「え？」

ああ違う、忘れて、と俺は首を振って、再度こいつの目を見る。声を極めて小さく、でもガムには聞き取れるようなうまい塩梅《あんばい》に調節する。

「このクラスの中で一番かわいいのって、誰だと思う？　もしくは気になる子でもいいんだけど」

「や、急に言われても……ていうか、今」

「あのハゲ？　いいんだよちょうど板書してるし。つうか俺さっき観察したんだわ。あいつ毛が無い割にサイドの髪は真っ黒なわけ。白髪一つないのウケるくね？　染めてんのかな、天然でそうだとしたら頭皮の老化バラバラ過ぎてすげー」

「なんか真柴君、今日よく喋るね」

「まあな、んで、このクラスで一番かわいいのは誰よ」

顔をトマトみたく真っ赤にしながらガムは首を振る。

「そんなの、考えた事ないよ、本当にいない」

「あーはいはい、そういうのいいから」

普通に教えてくれていいじゃん、てかついでに消しゴムも貸してくんね、と両手を合わせておねだりする俺の背中に、突如怒号が突き刺さった。

「前を向け、真柴」

担任のガミガミ坂出だ。いつも通りツバとんでますよ、とかいい加減アートネイチャー、だっけ、に行った方がいいんじゃねーの、とか、ネタとしてしか機能しないそのビジュアルに心でツッコミを入れる。

「テストでたまたまいい点とれたからって気を緩めるなよ、こういう授業態度も評定に響くんだぞ」

へらへらと笑みを浮かべながら、サーセン、と呟《つぶや》いて俺は前を向いた。クラス中から、どっと温かい笑い声を受ける。

数学はどんなに集中していても眠くなる教科だ。というか今日ばかりは我慢できずに、俺は組んだ腕に顎《あご》を乗せてうとうとしていた。だからガムが後ろから突然つついてきた時、肩が思いきりビクリと動いてしまったのだ。恥ずかしい。

「驚くじゃん、なに？」

ごめん、とうつむいて謝るガムの手には、まるい消しゴムが握られている。

「さっき貸せなかったから」

俺はそれを素直に受け取るため、もしくは暇つぶしをするために後ろを振り向いた。椅子の背もたれにがっつり肘をかける。

ガムの机は整頓されていた。落書き一つない机の輪郭と平行に、最少限の文房具と缶のケースが置かれている。今どき缶ケースって、と俺は思ったけれど、言わないでおいた。ノートもルーズリーフとかパステルカラーのファイルではなく、なんか万年筆とかで書きそうな、古風でくすんだ色のもの。

そのすみっこに、何かの落書きがあった。遠目だとよく分からないが、凝っている風に見える。

「へー、お前も落書きとかすんの」

ガムは真面目そうな容貌なので、てっきり授業は隅々まで聞くタイプなのかと思っていた。かなり意外だ。もっとも「メガネの文化部」というだけで勝手にジャツジしたまでなのだが。

ガムが慌ててそれを手で隠すよりも、俺がするりと取り上げて覗き込む方が一秒だけ速かった。面白半分でからかおうと思っていただけに、その題材に思わず目を見張る。

あまりに精度の高い、早見の似顔絵だった。しかもバックに花の絵まで添えてある。

「え、美術部とかなにか？」

返事はない。ガムの顔は今にも湯気が出て来そうなくらい赤くヒートして、逆に貧弱な色の唇はきゅっと噛まれていた。

その、あーうん、と俺は言葉を必死に探しながら頭をかく。

「あいつの事好きなのな、まあ超かわいいもんな」

誰にも言わないで、と消え入りそうな声で言われ、俺は胸の底から気持ちが高揚するのを感じる。だよなあ、そうだよなあ、そう一人で頷きながら、ニタニタ笑いをこらえて前を向いた。

やはり告白だった。黒板の桟《さん》に溜まったほこりが、このほの暗くじれったい教室を圧迫する。背筋に汗が伝う。目の前に好きな人が、いる。好きな人に、交際の申し込みをされている。

「いざ口にすると恥ずかしいもんだね」

「俺の方が恥ずかしいよ」

「え？」

「男の方からするもんだろ、こういうのって。俺も早見の事が気になってた。ていうか今日、告白するつもりだった」

いつも早見とはからかい合うばかりなので、素直に言葉を発する自分に驚く。そんな事言われたら照れちゃう、とはにかみながら、早見は耳のあたりの髪を触る。綺麗なカールを描いている毛束は、俺のそれよりもいくらか多くの水分を含んでいそうで、おいしそうで、触りたくて、たまらない。昨日の予行演習は無駄になってしまったが、俺は夢のシチュエーションに、喉から心臓が出て来そうだった。二人は両想いである。何も隠す必要はない。伝えたって囁いたって良い。俺と早見を隔てるものはこの甘ったるい空気と気遣い、そして相手の動機が分からない事だった。勇気を振り絞って尋ねる。

「俺のどこが好きなの」

早見は堂々と胸を張り、答えた。

「いつも野球してる所。かっこいいなって思ってる」

「あ、うん……」

「授業中は不真面目なのにテストは普通にいい点取っちゃう所とか、好き」

「あの、俺、サッカー部なんだけど」

思わず口に出した瞬間、甘ったるい空気がカチカチと音を立てて氷結していくのが分かった。九月のやらしい暑さと相まって、凍ったハチミツの気まずさは俺を容赦なく刺してくる。野球のバットなんてガキの頃から触ってない、とか、俺とかわりと同じ部活の連中と固まって行動してるはずだけど、とか、二言目を言わせてくれない。突如として渦を巻く混乱に揉まれて、俺は呼吸の方法を忘れる。どういう事なんだよ。早見は顔を曇らせたものの、違和感などモノともしない口ぶりで続けた。

「あと真柴って素直じゃないよね、あんまりありがとうとか言わないっていうか。そういう所、かわいい」

ダリアの花みたく明るい笑顔であいつは俺の手を取る。

「私と付き合ってくれるよね？　シュン？」

頷くほかに術《すべ》が無く、俺の名前は実の所翔であるという事も言えなかった。

それは謎だな、と兄貴は俺の小皿にから揚げを載せながら、眉をひそめて考え込む。俺はため息をついた。

「女って何なんだろうな」

そうぼやくも、お前みたいなガキに似合うセリフじゃねぇよ、と兄貴に一蹴される。久々にこの街に来た兄貴は背中が広く、明らかに親の扶養から抜けた男の顔をしていた。まだ社会人二年目のくせに。立派なビールジョッキがスーツ姿によく映えている。俺の目の前にちょこんと置かれたオレンジジュースのグラスがいやに恥ずかしく、馬鹿にされているような気がして、急いで飲み干した。

「その子はお前の事を好きだと主張している。でもお前の基本情報、いや下の名前すらも間違えてた」

「おかしいだろ。俺はあいつの誕生日も部活も交友関係も手に取るように分かる。髪を数か月ペースで切りに行く事とか、好きなドラマ、映画、バンド、歌手、全部知ってる。ラインのステータスメッセージも暗唱出来る」

「お前は特殊だよ。あっちは好きになってから日が浅いんじゃないか。もっと知りたいと思えるような男に、お前が変わっていくかどうかだな」

「まあな、とりあえずあれが功を奏すといいんだけど」

なんだなんだ、と兄貴が愉快そうに食いつく。

「翔、お前なんか作戦あるのか」

まあその、うん、と濁すような返事をして、俺はポテトフライをつまんだ。これればかりはやすやすと人に言う事は出来ない。

告白された翌日、すなわち昨日、早見のケータイにちょっとした仕掛けを施したのだ。ガムに協力を依頼して。

ポニーテールを忙《せわ》しなく揺らす厚化粧の茶髪ギャルが、無愛想に皿を片付けていく。居酒屋の雰囲気が好きだ。セピア色のアイドル歌謡が流れる店内に、今風の原色女子が花を咲かせているその空間は、先輩と後輩。上司と部下。親と子。全ての世代を包み込んで拒絶しない。猥雑《わいざつ》で最高だと思う。サラリーマンの豪快な笑い声を背景に与太話を膨らますのは、高校生の俺にとってもワクワクする。

「兄貴、東京はどうよ」

「まずまずって感じだな。大人になっても学生の頃と同じく、年上の大人に怒られるシステムなのってムカつく。上司本当にムリ、地獄で舌を引っこ抜かれて欲しい」

「なんだよそれ」

笑いながらも、俺は月並みの感想が聞けた事にほっとしていた。家族との会話も、たるんで軽薄な店内の空気も、ここにある全てがチープで愛《いと》おしい。

上機嫌でふと向こうのテーブルを見やると、母子がサラダボウルをつついていた。母親は表情がはっきりしないが、無言で一心に緑をかき込むその様子が不気味で、ひたすら作業労働をしているようにさえ見える。ちらちらと視線を送るうちに、娘の方は近い年代である事が分かった。もしくは同い年かもしれない。いや、あの妙ちくりんな位置の団子ヘアとギョロギョロ動く目には見覚えがある。もしくは毎日見ている。

目が合った彼女は「げっ」という顔をしていた。というか、そう口に出ていた。

かなり大きく響いたその声ではっきりと分かった。モルヒネだ、モルヒネがそこにいる。

「友達？」

兄貴が訝《いぶか》しそうに俺の顔を覗き込むので、ただのクラスメイトだと答えた。から揚げの油が急にしつこく舌に絡む。あれから俺とモルヒネはクラス内で軽口《かるくち》を叩く事はあっても、二人きりで話す事はなかった。

「あいつ、さっき話した俺の彼女の親友。なんか謎の手がかり、持ってたりしねーかな」

「今尋ねるのはやめとけって、家族で来てるらしいし」

俺は頭を抱えた。早見を問い詰めて喧嘩《けんか》に発展するのだけは避けたい。かといってこのままでは何か隠し事をされているようで落ち着かなかった。彼女は一体何を企んでいる？

ゴトン、とジョッキを置く音に続き、あからさまな舌打ちが鳴る。どこかのテーブルで説教でも始まっているのだろうか。

「……じゃない、……でしょ」

この場の誰が怒っているのかも分からない。ましてや、そのほとんどが埋もれて聞こえないにもかかわらず、尖った口調は俺の中で拡張を始めた。

「……を考えた事がある？」

語尾がそのまま矢になって胸を射るようなかたちで、俺の心はすぐ穴ぼこだらけになる。残された部分を流れる血液が、どんどん停滞していくような気がする。

「……もお姉ちゃんみたいになりたいの？」

だからと言って悲しくなったり、傷ついたりしているわけではないのだが。

俺は「シリアス」が人生でいちばん苦手だ。部活に遅刻して顧問に怒られている時なんかは、どうしても我慢できずに吹き出してしまう。そうでなくてもダチと目配せをし合うとか、顧問の日焼けの具合を観察するとか、キリがないくらいの方法で窮屈さから抜け出そうとする。顧問の言っている事は正しい。俺は顧問が好きだ。それでもどうしてか、ここで本当に反省すれば何かに負けてしまうという焦りが常に付きまとうのだ。

「……ゆって誰なの」

実際、学校や家で怒られる事はつらい。責められる事のショックよりも、場の温度が下がってしまう事への焦りが勝《まさ》る。

「答えなさいよ、まゆって誰なの」

俺は顔をあげた。モルヒネの母親が貧乏ゆすりしているのが見える。喋っていたのはあのオバサンだったのか。耳を澄まして、その内容を聞き漏らさないように注意する。

「友達にはやめなさい、こんな軽薄そうな子」

低い声色《こわいろ》には、有無を言わせないものがあった。吹いたら飛んで行ってしまいそうなほど浮わついた空気の中で、むしろそれは完全な異物だと言える。

あいつらの周りの酸素だけがどんよりした自重《じじゅう》を持ち、笑いも拍手もないスローテンポの時を刻んでいた。俺は兄貴の話に、ああ確かに、とか、それな、とか相槌《あいづち》を返しながらも、モルヒネ親子から目が離せない。

こうするしかないわね、と母親が言うのと、その手からスマホが床に叩き落とされるのは同時だった。バン、と脅迫的だけど少し間抜けな音がする。モルヒネによって拾い上げられた長方形の液晶部分には、稲妻のような亀裂がナナメに走っていた。俺は思わず声をあげそうになってしまう。

「翔、どうしたよ」

さっきからずっと生返事《なまへんじ》だったせいか、兄貴は不審がるような目を俺に投げてくる。

モルヒネは謝りも歯向かいもせずただ押し黙っていた。いつものひょうきんな表情とは全く違う濁った顔で、サラダボウルのふちにふてぶてしくはみ出すレタスをじとりと見ている。

顔をこちらに傾けた母親の笑顔が見えた。意地悪さはかけらも見えず、むしろ鬼ごっこで最後まで生き残った子供のような邪気のなさを含んでおり、怖い。うふふ、と紅い鼻の頭をかきながらモルヒネを覗き見ている。

どれくらいそうしていただろうか。やがてモルヒネはすっくと立ち上がり、そのまま出口へと向かった。もう慣れっこであるというように飄々《ひょうひょう》として。

「わりい、トイレ」

兄貴が何かを言う前に席を立ち、俺はすぐにモルヒネを追った。公園でのあいつやテンポのずれたセミの声、時計塔と誕生日、割れたスマホ、まざまざと思い出される全てが、俺の体を動かしていく。関わらない方がいいって、ありがた迷惑なんじゃないの。あいつにはあいつの事情があるんだよ。見なかった事にした方がいいんじゃね。諭《さと》すような声が頭に響いた。それでも俺は足を動かす。知ってんだよそんな事、と自分の心に吐き捨てる。知ってるけどさ、なんか、俺のせいな気がすんの。

俺が店先の暖簾《のれん》をくぐりかけた時、モルヒネはふと立ち止まりこちらを向いた。

真柴、と名前を呼ばれたので、俺は強張《こわば》る顔をほぐそうと精一杯努力して応じる。

「真柴、マユと付き合い始めたんだって？　マユの事知りたいよね」

まゆ、と俺は間抜けに復唱した。早見の事を聞かれていると気付くまでに、数秒かかった。路地はすっかり暗くなっている。

「え、まあ、そうだけど」

斜めになだれて放置されているママチャリと整頓されたビールケースが、仲良く並んでいた。サンダル越しのアスファルトが、ぬるく温度を持っているように感じる。

モルヒネはまくしたてるように喋り出す。

「あらかた聞いてる。マユはいい子だし可愛いから、いい子で可愛い所が素敵っていう普遍さを大事にしてあげてね。でも彼女は魔女だから、ちゃんと誠意見せないと遊ばれた挙句がま口財布になって終わるよ。まあ真柴は顔が良いし若いわけで、この憶測は杞憂《きゆう》かも。お幸せに」

あの『サピエンス全史』が漫画になった!

漫画
サピエンス全史
人類の誕生編

ユヴァル・ノア・ハラリ

ダヴィッド・ヴァンデルムーレン/ダニエル・カザナヴ　安原和見 訳

かつて地上には何種ものヒトがいた。
なぜ私たちだけが繁栄することができたのか?
世界的ベストセラーを漫画化!
全四巻予定。全頁フルカラー。

唯一の本人公認コミック!

11月発売予定　●1900円+税　ISBN 978-4-309-29301-1

河出書房新社　〒151-0051 東京都渋谷区千駄ヶ谷2-32-2
tel:03-3404-1201 http://www.kawade.co.jp/

緊急提言　パンデミック
寄稿とインタビュー

ユヴァル・ノア・ハラリ　柴田裕之訳

パンデミックが最初に吹き荒れた二〇二〇年春、英米の有力紙に掲載された記事と緊急インタビューをまとめた日本独自編集のコロナ論。
▼一三〇〇円

浅草迄

北野武

戦後から高度成長期に湧く東京下町。たけし少年の初めての記憶から、学生運動の機運が高まる大学時代まで。北野武の原点を描く傑作！
▼一三〇〇円

作詩の技法

なかにし礼

天才作詩家が初めて説き明かす、作詩術の奥義と秘儀！　数々の大ヒットを生み出した著者が、作詩の極めて実践的かつ至高の技を披露！
▼二四〇〇円

ババヤガの夜

王谷晶

暴力団会長の一人娘を護衛することになった、唯一の趣味が暴力の女。お嬢さんの秘密を知り――。拳の咆哮轟くシスターハードボイルド。
▼一五〇〇円

人間の道理

コロナ禍の今こそ原点に立ち戻り、自分を信じて歩むことから再スタートする。コロナ後の生き方を模索する人々への力

「わけ分かんね、がま口財布って何？　ていうかお前」

モルヒネはあれの事なら大丈夫だから、と強いまなざしで言い切った。びゅう、と汚いものも清潔なものも平等にかき混ぜたような、湿っぽくて濃い風が吹く。

俺は、戸惑いつつも早見の話を続けた。

「その、あいつ、本気で俺を好きかな」

「さあ、真剣っぽいよ」

「どんな感じ？　ちゃんと俺の事を知ろうと思ってるのか、不安で」

「私もマユの事はよく分からないけど、真柴に告ったあとすごい嬉しそうな顔してたから。嘘じゃないよ」

かかかと笑ってモルヒネは消えた。膝の関節が抜き取られたかのように立ちつくしたまま間抜け面《づら》の俺は、背筋にずしりと重い汗を流す。彼女の発言は、何かを忠告してくれたのか。もしくは嫌味とか、両想いで幸せ気分の俺たちに対する妬《ねた》みにもとれる。でも、彼女は魔女だから。

ふっと俺は吹き出してしまう。いかにもモルヒネが言いそうなセリフだ。大して意味のない壮大な比喩。どうせくだらない立ち話なのだから、気にするまでもない。それに確認を取る事が出来た。親友のあいつが「真剣」と言うのだから、これは真剣交際に決まっている。早見は俺を好きだ。

モルヒネの意図は、本当にそれだけだろうか。

何かが胸につかえるような後味の悪さを引きずりながらも、拍子抜けした俺はそのままでゆらゆらと席に戻った。兄貴が「うんこか？　遅いぞ」と悪態をつく。肩をすくめて俺のテーブルを見ると、沢山の惣菜がそれぞれ魅力的に挨拶していた。

「で、あの子とどういう関係なのよ、お前」

「別に、ちょっと話しただけ」

2

一人で考え事をしたい時はこの公園と決まっていた。

母親はもう家に着いているだろうか。今日の機嫌はかなり悪かったので、あと一週間は不安定な状態を引きずるかもしれない。

黒々とした空に星が穴を開けている。あれは金星。あれは月。あれは飛行機のライトだから星じゃないんだよ。そう教えてくれた父は物知りだった。星の名前から教科書に載らない偉人の小話まで、私の知らない事をなんでも知っていた。私はそんな父によく懐《なつ》き、日常の疑問から抽象的な事柄についてまで、気になる事のすべてを隙あらば彼にぶつけた。

「人間ってどこから来たの」

昔、そう尋ねた事がある。彼は少し考え込む仕草を見せ、

「星だよ」

と答えた。

「人間はそれぞれの星で、同じ性格や同じ考えの人間と一緒に暮らしていたんだ。せっかちな人の星、のんびりした人の星、全ての星の中で皆仲良くやっていた。穏やかで争いもなく、幸せだったんだ」

でも、と彼は目を伏せる。

「平穏で起伏のない日常は彼らにとって、ちょっとつまらなかった。だから刺激を求めたんだ。自分とはまるで違う種類の人と関わってみたいという思いが募り、色んな種類のヒトを一人ずつ派遣し、彼らが混在する星を作った。スクランブルプラネット、地球だよ」

人類の始まり。そう私が呟くと、父は苦々しそうに笑った。

「その通り。でも結果としてそれは大きな衝突に繋がった。意見の食い違いや喧嘩、暴力や犯罪なんかはまだ可愛い方で、人々は戦争を始めた。正義をひとつに定義するために、ね。でもそれは無意味だった。血だらけのむごい争いのさなか、彼らは恐ろしい事に気付いてしまう。理解し合える人は誰もいない。正義は人の数だけある。これは大義のある戦争ではない、終わりのない殺し合いだと。人々は他人を理解しようとする事をやめた。生まれた星が違うのだから、分かり合えずともしょうがない、そう思わないと、楽しく暮らせなくなったんだ」

「なんか、悲しいんだね」

それでもおさげの髪をもてあそんでいた私は、ふふ、と笑った。皆がみんな諦めなければいけない世界だなんて、最高じゃないか。ガマンは誰かのわがままから成るしわ寄せで、幸せの格差の根源だと思っていた私に、その星は平等でいたく魅力的に思えた。

「それで、残された地球以外の星たちはどうなったの」

それはね、と父は空を仰ぐ。私はどきりとした。薄く月の明かりを受けた彼の横顔は、明らかに美しい星空を見る大人のそれではなかった。

よく車のコマーシャルでは、「父親」はドライブがてらきまって子供を郊外のどこかに連れていき、充足感に満ちた笑顔で夜空を見る。まるで星空が、世の中の「正解」と呼ばれるものの詰め合わせであるかのように、満足げに。私にとってもそれが、普通だと思っていた。

しかし小馬鹿にしたような笑みを浮かべて、父はこう言ったのだ。

「あれ、墓場なんだよ」

私をチラッとだけ見遣《みや》り、薄く血色の悪い唇を歪《ゆが》めて話を続ける。

「宇宙で一番大きな墓場を、俺たちは毎日見させられてるんだ」

生暖かい風が吹いたのを覚えている。ひょっとすると、あれは夏の終わりだったのかもしれない。彼のカサついた土気色《つちけいろ》の肌が、どんどん闇に透けていた。あぶない、消えちゃう、そう思うと同時に、私の胸にもぶすりぶすりと父が刻まれていく。この世でいちばんきれいな存在として。

「一種の脅しだと父さんは思う。俺たちにこうして計り知れない過去を背負わせて」

神様がここにいる、と思った。風が吹くベランダで、手すりにゆったりともたれかかる父の眼は眼鏡越しに、遠く、はるか遠くの何かを見ていた。今考えると、それは古い記憶だったのかもしれないし、ぼんやり煤《すす》けた未来だったようにも思える。とにかくあの時の空もどす黒く、空気穴みたいな星がまばらに光っていて、私はそれを綺麗だなんて絶対に絶対に言いたくなかった。

暗く切ない、でもとてもやさしい、父の話す昔話が好きだった。

「私の中の正義は、お父さんだよ」

ははは、と嬉しそうに笑う父を見て、私も嬉しい。

「お父さんを指針に生きる。今までしてくれたお話、ぜんぶが私の教科書だから。忘れないよ」

涙が溢れて、目の前の父がぐにょりと歪む。昔から泣き虫だった私に、素直に感情を出せるいい子だと言ってくれたのも父だった。頭を撫でられて、私は塩をかけられたナメクジのようにしょんぼりと小さくなる。

「たまには手紙をくれよな、お姉ちゃんとお母さんと、ちゃんと仲良くするんだぞ」

父とは半年前から、ぱたりと連絡がつかなくなった。シンガポールに赴任中の事だった。指を震わせながらあちこち問い合わせる母の横顔を、よく覚えている。その後決まって投げつけるように置かれた灰色の受話器も。何があったかは分からない。それでも高校受験目前に神様を失った私には、未来というものがひどく不透明でくすんだものに思えて仕方がなかった。これ以上私の人生は下がりようがない、今こそが絶望の淵、当たり前にそう感じていた。

その一週間後に姉までがいなくなるとは夢にも思わないのだから、おめでたい。

スマホの通知音でハッと我に返る。傷口を無様《ぶざま》にさらした液晶に光る「はやみまゆ」の文字を見て、けだるく感じながらも緑色した受話器のボタンを押した。

「どうした、彼氏の惚気《のろけ》なら鏡の前でやってな」

「ちがうよモルヒネ、真柴の話じゃなくて、パパの話」

パパ、と口に出し、私はその言葉を脳内で反芻《はんすう》する。そうパパ、五人いるうちの三人が私と縁を切ってくれなそうな感じで。あ、そっちのパパね。私は自分の内側にどっしり棲み続ける偉大な「父」の思い出とマユの言う「パパ」が、同じ男親を意味する言葉で表されるのが不愉快で、砂の地面をつま先でじりじりと掘った。

「正直お金くれるのありがたいし、私も自分からは手放したくないんだよね。どうしよう」

その相談で電話してきたのか、と私は了解する。何になるのだろうか、人を好きになった事もキスした事もなく、ましてやセックスなんて創作物の中でしか触れた事がない、恋愛をモチーフに売り出している映画にもドラマにも興味のない私に、パパ活の相談をして何になると思っているのだろうか。不思議でたまらない。

「私は処女だよ」

受話器の向こうでケラケラと小気味良い笑いが聞こえた。マユの声は綺麗だ。整った口から放たれるそれは、彼女の心に巣くう毒虫の影すらも感じさせない。

「そういう問題じゃないって。こうして相談するのは、モルヒネを信用してるから」

本当だよ？　と念を押す彼女は紙のように軽薄で、いつも通り馬鹿だ。

「一つだけ聞いていい？」

「うん」

「そもそもなんで真柴と付き合ったの」

うーん、と真剣ぶった声でマユは応答する。

「私の事を好きっぽい感じだったから、なんとなく」

えへへ、と笑う彼女の体をすり抜けていった男の数は計り知れない。彼女が「パパ活」をしている事実を私が知ったのは夏休みだ。二人で映画を見に行った帰り、初潮をこっそり報告する女児のようにあどけない顔で、恥ずかしそうにマユは囁いた。

「私、パパがいるんだ」

そりゃいるわな人間なんだから、そう返す私を見て、彼女は誰をも幸せに出来る、極めて可愛いはにかみ顔で言った。五人、いるんだ。

意味が本当に分からなかった。思わず腕を組み考え込む私の前に、マユはスマホの画面をかざす。

「これが商社マンのパパ、わりと若いよね」

スワイプ。

「これはどっかの社長さん、オジサンだけど話が面白いんだ」

スワイプ。はにかみ。スワイプ。スワイプ。はにかみ。スワイプ。この人は週

―くらいで会うんだ。

可愛い親友の可愛くないカミングアウトに対して、私がやっと絞り出した言葉は、

「校則的に大丈夫？」

という月並みの心配だった。本当はもっと言いたい事があるはずなのに、押し殺した。マユはぶんぶんと元気にポニーテールを揺らし、首を振る。

「パパ活は援助交際とは違うの。まあ、パパの要望によってはそういう事に発展する事もままあるけど、基本はご飯おごってもらうだけ」

へえ、と相槌を打ちながら、私は「すごいね」という言葉を喉元で必死に閉じ込めていた。そんな恥ずかしい事を出来る神経がすごいね、ではなく、自分の持つ才能を生かしていて立派だね、である。センシティブな話題である以上、どうやって伝えても前者で捉えられてしまうだろう。どうして、とか、なんのために、とかそういう事も聞かなかった。

この時、マユの普遍的で絶対的な愛くるしさは、まとわりつくような羨望を伴って私に伝わった。長い睫毛とふんわり柔らかい髪、笑うと眉が下がる所、素直で表情にすべてが表れる性格。その昔、お遊戯会ではお姫様をやったのであろう才能のすべて、街で人々に振り向かれる素質のすべてが彼女自身の計算によって完璧に保たれている。「女を売る」と侮蔑的に言う事があるが、彼女の「少女性」は男たちにとって商品というよりも賜《たまわ》りものなのだろう。「パパ」たちとの関係においてもきっとマユが優位にいる、そう察した。

長い事私に眺められていたからか、彼女は困ったような申し訳ないような、苦い顔をした。

「ごめんね、変な話しちゃって。おかしいよね」

「変じゃないし、おかしくもないよ」

口がすかさず動いた。

「背の高い奴がバレーボール選手をやるのと同じ。完璧に可愛いマユがパパ活をやるのは間違ってない。長所を生かして利益を得るのは賢い行動だと思う、それに楽しさや自己肯定感を見出しているなら——」

が、言葉を切ってしまった。

私は心の底から彼女を尊敬していた。持つ才能を理解し、商品として世にアピール出来るこの少女の輝きと、おどける事で自分を安売りし、毎日を空費するだけの私は、くっきりとコントラストを成した。マユは立派だった。

しかし、それを彼女に自覚させるのも癪だと感じる。尊敬と同時に、妬みの感情が腹の底でふつふつと沸く。自らの行いを恥じていて欲しい、この思いを口に出す事で、彼女を「俗物だ」と蔑視するもう一つの気持ちが窮屈になる。

だから中途半端な所で、言葉を切ってしまった。

「モルヒネありがとう、大好き。馬鹿にしない所、大好き」

それでもマユを安心させるのには十分だった。私は女なので、細い彼女にべたべた巻き付かれても全く和む事が出来ないが、ほのかに鼻をつく柔軟剤の匂いはとても心地の良いものだった。

薄汚い私に気付かない彼女は、本当に馬鹿だ。

「真柴はめちゃくちゃ本気だから、マユが名前間違えた事とかに不信感は絶対あるよね」

「そうだよねぇ、あとで出席簿見て焦ったもん」

「それを拭うためにも、今はパパとしっかりお別れして、真柴との交際に集中した方がいいんじゃないかな」

うーん、と甘い声で唸《うな》る彼女はきっと、ベッドの上にいるのだろう。布団がモサモサと動く音がこちらにまで伝わる。

私のアドバイスが大した効力を持たない事は知っている。マユが望むのは私が相談に真剣でいる事だけ、なのも分かっている。最終的な行動は彼女の気分次第だ、という救いのない事実も十分理解していた。

それでも私は彼女が好きだ。馬鹿で可愛くて、程よい軽蔑を抱ける彼女が好きなので、茶番のような相談にも乗ってあげている。

スマホの端に光る時計が、日付を変えようとしていた。

「マユごめん、ちょっと一回切るね」

一方的に通話を切って液晶をポケットに突っ込みそそくさと歩き出すも、砂場の前でふと立ち止まる。私はあばただらけの月を見上げた。

真柴は、この小さくひなびた公園を知っている。私だけの場所だと思っていたのに、私だけがこの場所で、夜に溶けてしまえると思っていたのに。

「好きです、付き合ってください、好きです」

夜空に向かってマユへの思いを放つあいつは、今思い返してみても気色が悪く、声に出して笑ってしまえるくらいに滑稽だった。

でも、とても眩《まぶ》しいと感じたのはなぜだろう。一人の女の子のために見境をなくしてしまえる、そんな自分に酔ってしまえるあいつは眩しい。ほの暗い公園の中でまき散らしていたみずみずしいもの、愛だとか恋だとかになり切れない半端で真っ直ぐなしずく、私を強く疎外する何か、分からないがそれは、震えるほど眩しかった。

嫌だ、本当に嫌だ。小さい頃から拠《よ》り所《どころ》であったこの場所が、私より真柴に似合っていたという事実が心底腹立たしい。夜中の公園はコロッと表情を変えた。私を溶かしてくれる静かで果てしない空間から、ポップな青春劇のセットへと、あっけなく。憎たらしい——

「なあ」

ギーコギーコ、と背後で遠慮がちな音がする。声の主を理解したので、私は振り返らなかった。ブランコが、成長期である真柴の体を明らかに持て余し、苦しそうに泣いている。とても可哀想だと思った。

「何でここに来るのかね」

おどけるのは得意なので、私は年寄のような口調で応じた。ニコニコと星を見上げながら言葉を返すと、あいつはうなだれる。

「知らねーよ、なんかここにモルヒネがいそうだったから」

「何でわざわざ私を追ってんのかね」

「それは」

真柴は口をつぐみ、数秒間をおいてから大きなため息をついた。あああ、としっかり音の乗ったそれはよく響き、驚いた私は思わず振り返ってしまう。

「分かんねえ、正直俺、大変な人？　不幸な人？　なんつーの、そういうのよく分かんないんだけど」

あいつの手にはコンビニの袋がある。

「分かんないっていうか、だって俺が動いてもしょうがねーし」

高いお店で買いました、母親じゃなくて自分が選びました、似合うんです、イケてるんです俺、そんな事をグリッターのふちが怒鳴っている真柴のスニーカー。履いている本人よりいつも雄弁なのに、今日はぎこちなく砂を掘っているだけだ。

何の主張も威圧もしない。

「大丈夫か、って言葉さ、めっちゃお節介じゃん。それは知ってる」

だから失礼かもしんないけど、お前の事情に深追いはしないけど、と言いながらガサゴソと袋を漁る。

「生ハムじゃなくてビスケット、食う？」

私の返事を待たずに、あいつは片方の眉を上げ、「よいしょ」とか「どこから開けんのこれ」とか、しばらく一人で喋っていた。お菓子と会話しているようだった。ぺりぺり、と包装を剝がしながらようやく私の目を見ると、困ったように笑う。

食べる、と私は答えた。

その後ずっと、私たちは無心でビスケットを貪り続けた。口は渇き、絶え間ない眠気が目と鼻の先まで迫っていたが、構わなかった。少なくとも私は、沈黙に理由が必要だったのだ。

「あ」

真柴が不意に上を指さしたので、私も空を見上げる。さっきと変わらないままで星が散らされていた。

「何もないじゃん」

「いや、今流れ星見えた」

「嘘でしょ」

「マジだって、俺初めてかも、生で見たの。やったやった」

「いや、何しに来たんだよ」

苦笑いしてツッコむ私を、まじまじと覗き込むあいつ。あまりに長い事そうしていたので、私は頬にアリでも巣くっているのだろうかと心配し、口の端から目にかけてを何回もこすった。途中で指を止め真柴の顔を睨みつけても、あいつは私の眼を凝視したままである。

「なに」

「ん？　いや、なんか珍しいと思って」

「何が」

「モルヒネがツッコミ役に回るのが」

え、と呼吸を凍らせた私に構わず、あいつは続ける。

「お前って、ネタキャラじゃん。常に変な事ばっか言ってるし、ふざけてる側の人間じゃん。なんでツッコむ側に回ってんの。表情硬いし、俺でよければ話聞くし」

じっと黙ってその声を聞いていた。真柴の頬にはニキビの跡が薄く漂っていて、年相応の汚さに私はうんざりしてしまう。

「ここにいる時のお前、なんか情緒不安定だし変だし、いつもゲラゲラ笑って笑われてクラスの真ん中にいる奴が悩み抱えてるっぽいの、俺的には心配っつうか」

というか、と一息ついて真柴は続ける。

「協力できる事ならしたいっつうか」

「黙れよ」

かなり大きな声が出た。私は笑顔が中途半端に固まるあいつの輪郭を、なぞるように見る。どこをとっても思春期の半端な男で、それはきっと心の中も変わらない。

「真柴さ、浅いんだよ。心配されるのは構わないよ勝手にしてくれよ、お腹すいてたからビスケットも貰ったよ。でもそこから私に干渉してくるのは違うだろ。ただの好奇心だろ。エゴを透過して親切心にすり替えてるだけだろ。どうにかしてあげようとか思ってんじゃねぇよ、クラスで笑ってる私も私だし、ここでお前に怒ってる私も私だよ。情緒不安定でもいいよこれが私だよ、人間なんてそんな簡単に固定できないし、ましてや気持ちを推し量るだなんて思い上がんなよ。そんなの当たり前だろ、私が心地良いのは今の私で、やめたいのはネタキャラの方なんだよ」

明らかに困惑する真柴ではなく地面に視線をずらし、出来る限りの睨みを込めた。

私は、

「今の私は、幸せなんだよ。あの時真柴に会って、本当に小さな事で泣いたし愚痴ったから、それは申し訳ないと思ってるよ。じゃあなんでそこで面倒くさく思わないいんだよ。知ってるよ、お前らは自分のキャパを超えたモノに遭遇すると、『面白い』か『面倒くさい』かの二択のレッテルを貼るんだよ。面倒くさいだろ、同級生が自分の目の前で泣き出したり親に当たられてたりしたら。じゃあそのままスルーしろよ、放っておけよ」

めちゃくちゃだよ、とあいつはどこかで呟いたが、それはすぐ私の剣幕に押されて消えてしまった。

「嫌だ、泣いてるから苦しい、笑ってるから楽しい、そんな程度の理解で人を見定め浅く生きてるお前に居場所を奪われた私のちっぽけさが憎い、嫌いだよお前が、この公園から出て行けよ」

涙と鼻水でヒリヒリ痛む私の顔は、驚くほど滑稽だろうなと思った。それでも私は私の正義に従ったから、清く正しく、美しいはずなのだ。だから何で、こんなにも惨《みじ》めで、幼くてがらんどうで救いのない物言いになるのか、本気で分からなかった。

真柴は私が泣き終わるまで、ずっと待っていた。諦めたのか呆《あき》れたのか分からないが、読み取りにくい表情でいる。

「もういい？」

てっきり「もう帰っていいだろうか」の意味だと思い、私はうつむいて「いいよ」を吐き捨てようとした。

「もう俺が話してもいい？」

話すね、とあいつは私の了解を取らずにすらすら言う。

「確かにモルヒネの言う通り、百パーの親切心じゃなかったかもしれない」

ごめん、と真っ直ぐに謝られ、私の涙がぎこちない冷め方をする。

「お前の事情にはもう口出ししないよ。悪かった。もう一つだけ、ちょっと話したい事があってここに来たんだわ。おまけだと思って聞いてくんね？」

あいつはそのまま、肩をわざとらしくすくめて見せた。

「モルヒネの気持ちを汲み切れてなかったのは、謝るけど」

私は呆気にとられた。このまま帰ってくれると思っていたのに、話が思いもよらない所へ飛んで行きそうだからだ。

「どういう事？」

話題に乗ると、真柴はおそらく人工であろうパーマの髪を、ぶんぶん振って私に向き直った。

「早見を尾行したいんだわ」

真柴によると、マユは今日と昨日の学校帰り、新宿の路上をうろついていたらしい。この地域は「田舎」であるものの、中高生が満足する程度の娯楽施設なら十分に揃っている。だから余程の事が無い限り、片道一時間半もかかる都内へ行く事はないのだ。私はマユの目的も、マユが会う人たちも知っていた。親友だからだ。でも真柴がその営みを知るはずはない。

「なんで真柴にそんな事、分かんの」

「GPSだよ、こっちから遠隔操作出来るアプリっつうの？　あいつのスマホに入れたの」

スマホ机の上に置きっぱだったからさ、と照れながらあいつは言う。私はゾッとした。照れる要素なんてどこにもない行動を、純粋な好意の証明だと勘違いしている。とても、不気味だった。

「それで動向を探ってたんだけど、あいつ一見優等生じゃん。なのに平日の放課後にわざわざ東京行くってさ、まあ疑いたくはなかったんだけど、絶対なんかあるよね。そんで尾行したいなって。二人いれば見失う事もないし、なんせお前は早見の親友だし。そもそもそれについてなんか知ってるかもって」

新宿までは何本もの電車を乗り継がねばならない。パパたちの行動圏にマユが合わせている面もあるが、待ち合わせ場所を指定するのは決まってマユの方らしい。

「お洒落なお店が沢山あるっていうのも理由だし、都内に住むパパに合わせてるのも本当なんだけど。なんか星が全く見えない所って安心するんだよね、人がワーワーいて、私も紛れて消えちゃうんじゃないかっていう空気感がいい」

そう彼女は言っていた。

「真柴は、その何かを知ってどうすんの」

「決まってるだろ、助けるんだよ」

早見は真面目な子だから、きっと悪い友達や大人に騙《だま》されているに違いない。

俺が助けてあげなきゃいけない。神妙な顔でそう話すあいつはきっと根が健全で、こんな気色の悪いストーカー行為さえしなければただの優良少年なのにな、と残念に思う。どちらにしろやっている事は独善なのだが。

面白い。こいつの中にある正負や善悪の価値観を、そのボーダーがどこまでも普遍だと思い込んでいるおめでたい脳みそを早く、地の底に叩きつけてしまいたい。

「いいよ、手伝う」

「マジ？」

パッと顔を輝かせて、真柴はブランコから降りた。明日五時に駅のスタバ前な、と早口で言葉を並べ、私の顔を一切見る事なく駆け出す。私は真柴を完全に侮蔑した。

それなのに、公園から離れて小さくなる青く瑞々《みずみず》しい背中は、いつまでも眩しいまま私のまぶたに焼き付いている。

いま月にビスケットのかけらを投げたら、カチンと音がして跳ね返るのだろうか。

目が覚めると正午を回っていたので、潔《いさぎよ》く学校を休んだ。重い四肢を動かし、朝のルーティンを静かに、平穏な心地でこなす。シャコシャコ歯ブラシを動かす私の顔は、豪華な三面鏡で見ても全くパッとはせず、そんな自分自身に不満を抱かないのは年ごろの女子として問題か、とふと思う。ギョロギョロと離れた目におかっぱ頭。ある人には美人、ある人には個性的、とそれぞれに揶揄《やゆ》されて育ってきたが、ともかく基準の外にある顔面なのだろう。

真柴はきちんと寝て、学校へ行ったのだろうか。お昼休みの今頃は、弁当をかき込みながら遠くで円をつくるマユにちょっかいを出し、大声で笑っているのだろうか。

リビングに母の姿は無かった。仕事に出ているのだろう、まっさらなテーブルに、いつも通りの五百円玉がポツンと置かれていた。お昼ご飯をどこのコンビニで買おうかと思案し、私はそれをつまみ上げる。待ち合わせの五時までには充分時間があるから、もう一度寝てしまおうかとも思ったが、あくびを放つのみに留めた。ラックに置いてあった週刊誌の見出しに、「嫁には頭が上がらない！」と書いてあるのを見て、軽く高揚した。横に添えてあった小さい壮年の顔に爪を突き立てる。そもそもお前、本当は下げてないんだろ、頭。そういう顔してる。この湧いては消えるイライラと優越感をもう少し摂取したくて、ワイドショー目当てでテレビを点《つ》けた。

「コヨーテって一体何？　世界の隅まで冒険し隊、春の特別編！」

半年前の深夜番組が再放送されている。思わず目を見張った。私はこれを知っていた。

姉のひょうきんな声、汚くモノが散乱する部屋。鼻血。コヨーテ。記憶がぐるぐると回り、これまで思い出すのを避けていた光景が一瞬にして脳裏に引っ張り出された。あれは、まだ寒い早春の事である。

「お姉ちゃん、独り言うるさいよ」

「あれ、ティッシュティッシュ」

「聞いてんの？　てか鼻血出たのかよ」

「聞いてる聞いてる、テレビ消すからもう喋りませーん」

「財布なんか持って、どっか行くの？」

「コンビニ」

愉快そうに鼻歌でリズムを刻んで出ていった姉は、そのまま二度と帰ってこなかった。一時間経ってもドアは動かず、部屋を満たす静寂に耐えられない私はテレビを点ける。

姉が読み上げたキャッチからして冒険バラエティかと思われたそれは、世界各国の動物をひたすらに愛《め》でる企画だった。音量を上げる程に、不揃いの歯をたたえて笑う芸人たちの声が脳みそをぐちゃぐちゃかき混ぜる。不安だとか焦燥だとかそういうものを、彼らのいやしさが打ち消してくれると信じた。

深夜帯にしては珍しい二時間スペシャルは、毛のない猫の映像を最後にちろっとだけ流し、あっけなく終わってしまう。

父を失ってから憔悴しきっている母を起こす気になどなれなかった。しかしこれは異常事態だ。最寄りのコンビニまで歩いて三分。姉が外に出てから二時間。自分の胸が突然、沸騰を告げるやかんのようにうるさく鳴き出すのが分かった。私は靴をひっかけ、鉄砲玉のように走り出す。

三月はじめの風はまだ鋭利で、私はそれを振り切れるほどタフではなかったけれど、逃げるように足を動かした。クラスでは影が薄く、表情が乏しい私にとって、明るい姉は軽口を叩ける数少ない存在で、心安く寄り添えるふるさとのような人だった。ある時の事である。

「お姉ちゃん芸人になんなよ」

「なんでかね」

「ほらそういう喋り方とか面白いし、動作や言動が全部コメディっていうか」

私の無邪気な言葉に目を伏せて彼女は、いっぱいだから、と言った。

「クラスとか身の回りの事で、もういっぱいなんだ。全国単位でこれやったら死んじゃうかも」

当時の私には意味がよく分からなかったが、今ならはっきりと理解する事が出来る。

人工的な光や色だけがのびのびと線状に巡る景色の中で、神社に併設されている三角形の公園が目に留まる。私たちがよく遊んだ場所だった。もしかしたらと思い足を踏み入れると、やはり姉がいる。声を掛けようとして私は、へたりとその場に座り込んでしまった。

「なに、してるの」

しゃくりあげながら、血が滲《にじ》む度に声を荒らげながら、ひたすらにカッターを動かす姉の表情は、今までに見たどの姉よりもむき出しのはだかに見えた。

「やめてよ」

思わず駆け寄る。垂直にそれを突き刺そうとした姉の右手をなんとかおさえ、私は泣いた。おねがい、とかすれる声で言うと、ようやくこちらを向いてくれた。

生まれたばかりの赤ん坊のような眼だった。言い換えるならばそれはどんな膜にも覆われていない無垢な眼、外気に触れているだけで可哀想な眼だ。

「なんで?」

私の声を寒々とした風が拾うと、絡んだ髪の毛を揺らして姉は唇を噛んだ。砂場に点々と吸われている血は暗闇のせいで何色なのかさっぱり分からない。これが鼻血だったらいいのに、と私は心の底から悔しく思った。痛みを伴わずに間抜けに流れるだけの喜劇のセット、そして彼女をかたどる大切な道具の一つとして、いつも通りこの血が機能してくれたらどんなにいいだろう。姉はバカだ。血が見たいんなら死ぬ気で鼻をほじればいい。それがいい。傷というものはどうしたってシリアスだ。ふざけんな、それ、どう考えたってお前に似合うわけがないだろ。面白くて面白くて面白くて楽しくてウケるサイコーな人じゃ、なくなっちゃうだろ。マジで何してんの。なんで。どんどん回転速度を上げていく私の脳みそとは裏腹に、指の隙間へ、中途半端な乾き具合の血液がだらりと張り付く。

「ちがう」

姉の声はしゃがれていた。虫がおらず匂いもない早春の空気が、さらに彼女を悲痛な生き物に見せる。私は、「面白み」としての彼女が、自身の行動を弁明している声としてその「ちがう」を受け取った。当たり前だ。これは何か不本意な事情による行動で、きっとまた笑い話に帰結するのだ。そう信じて疑いもせずに、うん、と私は真摯《しんし》に頷く。

「だからちがう、ぜんぶちがう。私じゃなくてお前らが」

私は戦慄した。

「あんたのその目も、ちがう。好奇で私をぐりぐり塗ってる。やめて」

砂場の角ぎりぎりに生えている桜の木の事を、幼い私たちは「でぶ」と呼んでいた。あの時も、ずんぐりしたでぶが花も葉も蓄えずに軟弱な腕を広げて季節相応のバンザイをしていた事だけ、その禍々《まがまが》しく黒いシルエットだけが確かな記憶だった。

それからの事はほとんど覚えていない。

警官の制服。薄ぼけた空。運ばれる姉の姿とボロボロの腕、おとなたちの滑稽な顔それぞれは、断片的に思い出す事が出来る。でもその時飛び交っていたはずの言葉は、一つとして脳裏に転がっていないのだった。何か暗号の羅列でも聞かされているような気分でいた、と思う。ごわごわに乾いた手のひらの血は爪でひっかくと簡単にとれ、自分の体には傷一つないのだという事実で脳が沸騰しそうだった。

薄汚なく変色した赤茶は舐《な》めると少し粘っこく、口内に淡い苦みが広がった。

残り少ない中学生活ではそのまま、腫れ物のような扱いを受ける事になった。目立たない事に徹していたあの私が、という素直な驚きはあったけれど、人にとやかく噂される事や教師に避けられる事は大したショックにはならなかった。人間の顔も等しく凹凸を施された肉にしか見えなくなっていたし、高校進学の前に引っ越す事が決まっていたのだ。当時の私にとって、かえって楽だったかもしれない。作業としての生活を営むのは。

数少ない友人たちが私の背中を叩いた。

「あの、大丈夫だったの」

「本当に心配してる。お姉さん、今入院してらっしゃるんだっけ。ファンだったよ、うちら」

そう言って私の視界にスマホをかざす。

「知らない」

彼女らを振り切って、歩く速度を上げる。

私は不感症になった脳みそを腐らせないよう、流れるがままの日常に身を置いていた。あの頃は経験する日々の起伏をひたすら「こなしていた」ように思う。

姉は人気者だった。周りには常に人がいて、笑顔の絶えない空間を常に作っていた。とにかく冗談が好きで、お調子者のムードメーカーだった。「あんたといると笑いが止まんない、劇薬みたいだよ」というクラスメイトの言葉に、姉はこう答えたらしい。

「じゃあ、モルヒネって呼んでよ」

それから彼女のあだ名は「モルヒネ」になった。なぜ自ら進んで物騒な呼び名を付けたのか、私には今でも分からない。

角を曲がり、ブラウザアプリを開く。検索履歴には「モルヒネ　ファイン」の文字列がある。

ファインとは、中高生に人気の動画投稿アプリで、十秒前後の動画を誰でも閲覧、投稿する事が出来る。ダンスから自撮り、イラストの制作過程に至るまでその用途は様々で、全国に沢山のユーザーを抱える若者のマストアプリだ。ファンが多いファイン投稿者は「ファイニスト」と呼ばれ、カリスマとして発言力を持つ。

姉のクラスメイトは姉のギャグや冗談を、ファインに無断で投稿していた。友達との会話やピンでの一発ギャグなど。それが面白いものだからなおさら、彼女はアプリの中で一つの地位を築くまでになってしまっていた。

意図せず全国にファンやアンチを抱え、ネット芸人になってしまった「モルヒネ」は、死んだのだ。あの子、ママが病院に行っても一言も喋らないの、と母は教えてくれたけれど、私には分かっていた。彼女は潰されてしまったのだ。自身の底に眠っていた一粒の繊細さをもう、誰にも打ち明けられないかもしれないという重圧。意見も叫びも、世に放ちたい全てをコメディに変換してしまう匿名のこぶしに、殺されたのだ。包帯を腕に巻いて呆けたような顔をしているだけの姉を、姉だとは認めたくなかった。

「私もあの子が無理してるんじゃないか、人間関係に苦しめられてるんじゃないかって、いつも思ってた」

単純な母は何も分かっていない癖に、私の仮説に大きく頷いて涙ぐんだ。一緒に頑張って生きていこうね、と痩せた手で抱き寄せられ、思わず顔をしかめる。

自由にほつれたセーターとくたびれたエプロンはまるで、母を実年齢より一回りくすませる装置のようで、私はそれも、それが似合ってしまう程に生気がない母も嫌いなのだった。

ちょっと前まで沢山のモノに溢れていた姉の部屋は、すっかりおとなしく清潔になった。彼女の鼻血を止めたティッシュの切れ端はもちろんのこと、あちこちに転がっていたプリントやら鉛筆やら雑誌やらも一切が消えた。

弾《はじ》けるような色彩が点々と広がる駅前の一番分かりやすい所、前衛的なオブジェの隅っこに、真柴はもたれていた。制服のポケットに片手を入れ、もう一方の手で文庫本を読んでいる。ポロシャツからのびる健康的な腕は木の幹のように鋭く堅そうで、男女のつくりの違いを意識させる。まさしく五時きっかりに私は着いたのだけれど、あっちはもう何時間も待ったかのように不機嫌な顔を向けてきた。

「お前今日学校サボったろ、来ねえかと思った」

「万年遅刻魔かつ賄賂で単位を集めようとした伝説の女でも、約束は守るんだわ」

「あの時のモルヒネすごかったよな、ポケットから札を渡したお前に坂出先生が『五千円じゃ足りん』って怒鳴ってさ、もう皆笑いこらえてんの」

「賄賂自体はいいのかよって皆でツッコんだんだな」

面白いよな全く、と呟いたあとで真柴がハッとする。一秒の沈黙は私たちをあっという間に隔て、足にぶつかった枯れ葉が申し訳なさそうにすり抜けていった。

「モルヒネに面白いって言うの、失礼なんだよな、ごめん」

「もうそれはいい」

私は真柴に笑いかけた。

「あれが不愉快に感じたの、あの日だけだから」

そうなん、と腑に落ちない顔であいつは言うも、目尻をきゅっと下げて笑っていたから、私も安心して笑い返す。

「それ、何の本」

これ？　と真柴が手にした文庫本をぺらぺらめくる。

「『星の王子さま』、サン＝テグジュペリの。早見が貸してくれたんだよ」

早見が、の部分をひときわ大きな声で言うあいつはとてもはしゃいでいた。早くその話題に触れて欲しかったのだろう。待ってましたと言わんばかりに茶色い目が輝いている。

「『星の王子さま』ね、万年サッカー少年、かつ脳まで筋肉質の真柴にはとても似合わない代物じゃないか？」

私がクラスでの口調に戻ったので、だと思うじゃん？　と真柴はさらに頬を緩ませる。

「確かに俺あんま読書しないタチなんだけどさ、早見のおすすめだったらなんでも読めるっていうか。ってお前、脳まで筋肉は悪口だろ」

それよりも、と真柴はさらに言葉を繰り出す。

「ココ見てみ、アンダーライン引いてあんの」

――とてもかんたんなことだ。ものごとはね、心で見なくてはよく見えない。いちばんたいせつなことは、目に見えない。

有名な一節だ。王子さまに向かってキツネが放った言葉である。読書家だった父の影響で様々なジャンルの本を読んできたが、この童話は幼い私にとって特に印象深いものだった。今でもたまに読み返していて、だからその言葉の意味もよく知っている。

しかしマユが本を読み、さらに内容を咀嚼《そしやく》するためにマーカーまで使う事には驚いた。というか、私は少しばかり動揺していたかもしれない。確かに彼女の成績はおしなべて良いのだが、それは大人たちの求めた事に応える能力が高いだけで、直接の評価や利益にならない事は一切行わない子である。オタクという存在から最も遠い女の子、ひいては自分オタクとも言えるかもしれない。そんな彼女が計算を抜きにして、純粋に読書を楽しむなんて。

「俺さ、これ早見からのメッセージだと思うんだ。目に見えない、普段あいつが見せてない密《ひそ》かな悩みにどうか気付いて欲しいっていう願いな気がする、もうなおさら助けなきゃだよな」

「はあ」

いちばん大切なものは目に見えない、とウットリ頷きながら繰り返す真柴を横目に、電子カードを機械に挿入する。ＪＲの券売機は五百円以上のお金しかチャージ出来ず、電車屋の大人はみみっちいしせこいな、と私はいつも思う。外出する度、いつも半端な額がカードに残ってしまってやるせないからだ。私みたいな人間は他にもいるはずなのに、それを考慮しない大人たちにため息が出た。そして指の跡でくもった液晶に触れながら、胸の底が優越感でひくひくと動くのを感じていた。

馬鹿は悪い事ではないし、むしろ世の中を楽しむ上で最も有利な性格である。

しかし人をやみくもに信じる事、恨み、好意、それらは全てかたちが違うだけで、同じく依存の集合だ。私が世間のさまざまに抱く気持ちはそんな二文字前後で片付けられるわけがなかった。

県の最も大きな駅にほどほどの時間で着き、色が違うホームに移る。そして新宿へ向かう電車を待った。

「五時十五分発の電車に乗るために、早見はいつもこの四番線三号車のドアに現れる。ＧＰＳがずれてなければ、俺たちはあと五分もしないうちにあいつの姿を見つけられるってわけ」

「うちら尾行するんだよね？」

「え、なんだよ」

「じゃあ三号車にいちゃダメじゃん、百パー気付かれるよ」

お前意外と頭いいのな、と真柴が頭をかいて、私たちは隣の号車番号が書かれた列の近くにあった自動販売機の陰に、こっそりと隠れる。この時間のホームは帰宅部の女子高生で溢れていて、駅のざわめきがひときわ若い。昔も今もずっと先の未来でも、女子高生は都心を目指す生き物だ。

しばらくして現れたマユは当たり前に一人じゃなかった。ハゲ頭のジジイと連れ立って、楽しそうにおしゃべりしている。千鳥柄のミニスカートとしわ一つないトレンチコートの組み合わせが上品で、マユは実年齢よりも五歳ほど大人に見えた。制服や荷物はロッカーにでも仕舞っているのだろうか。不愉快なボディタッチと呼応する猫なで声が、こちらにまで届く。豊かな髪がジジイの手を受け入れ、マユもジジイの腕に絡みついている。私は真柴を二度横目で見やったけれど、ずっと唇を噛んでいた。

「助ける」と散々意気込んでいたから、真柴はマユに駆け寄るなりジジイを殴るなり、ここで何らかの行動を起こすだろうと思っていた。しかしそこにいるのはがらんどうの眼で立ち尽くすだけの間抜けな少年で、私はじれったい程の苛立《いらだ》ちが腹に溜まる。泣いたり怒ったり暴れたり、そういう事をして欲しかった。自分の絶対が崩れる事は背骨が上から下まで砕け散る事、赤信号が機能しないゆえ青になっても渡れないという事、砂糖が甘くない事。もちろん平静でいられるはずはないのだから。

「真柴、本当にショックなの」

私はあいつの肩を摑んで揺さぶった。ばん、という音と共に自動販売機の側面へぶつかる真柴の背中は、どんな小さな生き物よりも頼りなく思える。電車がやかましい音をたててホームへと流れ込んだ。強い風が容赦なく私たちをなぶって、轟音《ごうおん》に負けまいと私の声も大きくなった。

「ああ」

マユがジジイの肩に頰を寄せて笑う。

「例えばどこが」

「おじさんとか不良と一緒にいるってのは予想してたけど、早見があんな楽しそうだとは思わなかった」

電車に乗り込む前に、マユがジジイに涙袋をなぞられ笑う。

「じゃあなんでそんな平然としてられんの、お前、マユの事好きじゃん、清純で才女で運動もできる早見麻優好きじゃん、信じてたんだろマユの事、GPS取り付けるくらい必死で好きだったろ、助けるんだろ、どうしたんだよ」

うるせえよと低い声で言われ、私はあいつから数歩離れる。マユを乗せた電車は流れ星のように光を縮め遠ざかり、すぐに見えなくなった。

「なんか、分かったわ」

真柴は首をこきっと鳴らし、落ち着いた様子で私を見る。

「早見にも色んな側面があるんだな、ようやく分かった。人間って難しいな」

一変して冷たい口調でハキハキ話すあいつに、私は戸惑う。

「あんなに好きだったくせに、許せないとか信じられないとか、ないの」

「ねえよ、価値観が違うだけだろ」

あいつは呆れたとでも言わんばかりに、大きなため息をついた。まるで自分が被害者だとでもいうように。俺とは違う人間だもんな、と独りぼやいては地面に視線を転がす。人をさらわれたホームは一瞬だけ静かにしてくれていたものの、今はもう新しい女子高生、新しいジジイ、新しい親子なんかを注いで、新しい喧《けん》騒《そう》に溢れている。

諦めんな、と私は吐き捨てその場から駆け出したけれど、それはきっと真柴の心中からはズレた発言で、的外れな自分に対しての不快感がまた追い風となり、私の足を加速させた。ガムが黒いシミとなって張り付くコンクリートの地面や階段、タイルなんかを容赦なく蹴り上げ、帰りの列車に飛び乗る。

目まぐるしく変わる景色のぜんぶを睨みつけながら、煮えたぎるような思いで真柴の事を考える。価値観が違うだけだろ。価値観が違うだけだろ。価値観が違うだけだろ。そうやって心のキャパシティを超えたモノをかなぐり捨てて、自分だけの倫理も自分だけの正義も持たずに生きるなんて浅い。理解できないものに対して否定も肯定も執着もせずに「価値観」の言葉一つで、簡単に思考停止しようと頑張るなんて。

「ふざけんな」

腹の底から声が出た。私は車窓を睨んでいるから分からないが、きっと車内の視線が私に集まって、ふざけた茶髪マッシュヘアの大学生が面白がって動画を撮り始めたり、禿げた中年が顔をしかめたりなんかしているのだろう。

ふざけんな、私はお前をいつまでも飼ってやるからな。お前がマユや私の事を面倒くさがって、興味の外に放り捨てたとしても、私は負の情動を堂々巡りさせてお前を存分に憎むのをやめない。自分の正義を軸として、価値観の違う奴らをいつまでも飼って思い悩んでやる。

汗を滲ませ強く握っていたドア脇の手すりが、いつまでも冷たかった。

「この時期は暑くも寒くもなくていいよねぇ」

マユが間延びした声であくびをしながら言う。そうだね、と相槌を打ち、私はシャーペンの芯を消しゴムに甘く突き刺した。

真柴とマユはあれからすぐに別れたらしい。

「なんかシュン、じゃなくて翔が急にラインしてきて、理由もなしに別れよってて言ったの」

最後までマユはあいつの名前を間違えていた。

「びっくりしたけど、私もやっぱフリーがいいかなって思い始めてたし、ちょうど良かったかな」

マユはおかしいけれど、それを上回るくらい真柴はへたれで凡庸だった。個人の一面を勝手に切り取り期待して、別の一面が顔を出したら途端に距離を取り、忘れようとするなんて。そんなもんかよ、お前の気持ちは。以前に「早見を助けなきゃ」と強く意気込んでいた事でなおさら、今のあいつは私にとって滑稽に映る。

「モルヒネ元気ないね、どうしたの」

机に肘をつきながら細い首を傾《かし》げ、マユが尋ねる。二人揃って予定がない放課後はこの教室で自習しようね、といつからか決めていたのだが、マユに暇が出来たのはおよそ三か月ぶりだった。

「別に大丈夫」

「本当？　急におとなしくなっちゃうから、みんな心配してるんだよ」

私が無視してノートをめくると、彼女はおもむろに私の左手を撫ではじめた。ゆっくりと丁寧に、そのまま骨のあり方を確かめるように指を滑らせる。その眼はうっすら潤んだピンクで、耳の先も同じ色をしていた。おかしいくらいに熱い。

私は手を引っ込め、警戒心をもって彼女を見た。

「何？」

するとマユはきょとんとした目でこちらを見ながら、そう言う。

私は短くため息をついた。彼女にはこういう所がある。あるにしても、今日の距離感はちょっとばかし危険な部類だ。私は動揺している事を悟られぬよう、机とにらめっこして言葉を投げる。

「別に」

筆箱にたてかけた蛍光色の付箋をはがし、教科書に貼っていく。延々と、気が済むまで私はピンクの付箋で教科書を飾った。紙ともシートともつかない半透明の質感が好きなのだ。

「真柴さ」

しばらくしてから口を開いた私に、マユがうん？　と身を乗り出す。

「マユの事振るなんて、馬鹿だよね。へたれだよ」

数秒の沈黙があり、

「そうだねえ、でも」

彼女がしっかりと私を見据えた。

「そこまで変じゃないと思うよ」

いつも木枠やら時間割やらを飾られている能天気な壁が、地の薄いクリーム色をみるみるうちに引き締める。空間そのものに突き放されたような惨めさがびっしょりと、私の肌を濡らした。惨めになる必要なんて、一ミリぽっちも無いはずなのに。

さらりとマユは言葉を継ぎ足す。

「確かに結構びっくりしたけど、名前を間違えたりしたのは私だもん、理由をつくったのはこっち」

ね、と軽く笑顔を向ける彼女に、はっきりと苛立つ。

「でも、それで振るって事はマユを好きな自分が好きだっただけでしょ、所詮意気地なしの男なんだよあいつは」

私がそう言った瞬間、マユがふふ、とはにかむように笑う。

「何かおかしい？」

自分の語調が強まってしまうのを感じた。彼女は首を振る。

「いや、当たり前の事だもん」

マユは再び私の手を撫ではじめた。彼女のらんらんと光る目が、今日は濁った海のように湿っている。

「モルヒネは当たり前の事を見過ごせないタチだもんね」

硬くなった私の指先に、マユの吐息が甘くのしかかる。

「被害者でいる事の安心感って、あるよね」

「何が、その、マユ」

しどろもどろになりながら、私は目の前にいる少女の輪郭が徐々にぼやけていくのを感じた。この苛立ちは正しい。正しいはずなのに、今の自分は明らかに窮屈だった。何を言ってもクレームとかいちゃもんとか、その類《たぐい》の軽さを伴ってしまうだろうという予感に締め付けられる。

「私の事も真柴の事もほんとは馬鹿にしてるんでしょ」

極めて温かい笑顔で彼女は私の顔を覗き込み、キスをした。やわらかい唇が私のそれと重なり、時間が止まったような感覚に陥る。実際、止まっていたかもしれない。空調機や運動部の掛け声、さまざまな音が止み、顔の筋肉がどこまでも硬直する。彼女のはにかみ顔がうっすら不気味に映り、素直な恐怖を感じた。

「でもそこが好き、変わらないでよ。モルヒネは私の絶対なんだから」

全身の毛が逆立つ。苛立ちの対象が何なのか、もはや分からなかった。

「モルヒネに構って欲しいな」

違う、違う。私はあんたの絶対じゃない。それだけは確かだ。お前に神様なんているわけがない。調子に乗るな。

「ね、なに考えてるの?」

上目遣いをしたマユの耳に、青みがかったピンクのピアスがぶら下がっている。私はそのきらきらをいつものように下品だと思いたくて凝視したけれど、何秒見つめてもそれは真っ直ぐに可愛らしかった。

私の指に挟んだままの付箋は、粘着面と手汗がべっとりと滲んで汚い。

「無視するなんてひどいよ、いつもみたいに変なギャグとか、してよ」

こめかみの奥がカッと熱くなり、すぐさま私は言い返そうとした。溢れるような怒りと等速度で、どこまでも文句を言えるはずだった。しかし喉のどこにも言葉が引っかからない。焦りと共に、つま先がじわり冷えていく。

「モルヒネはかわいいよ」

マユは珍しく、自分の繰り出す言葉そのものに緊張している様子だった。教室の窓は中途半端に閉まっていて、隙間から入ってくる風は枯れた匂いがした。夕焼けはマユの顔を均一な光で照らし出し、産毛《うぶげ》を隅々まで光らせている。

「だって私にはそういうの、ないんだもん」

知らない子のおもちゃを欲しがる女児のような、あどけない表情でマユは笑っている。それはいつもの完璧なアイドルスマイルと比べると、端っこのほうにぎこちなさが溶け出していた。

「すごい、愚直できらきらしてるの、モルヒネは。いつもそう」

マユのペンケースは猫を模したシリコンで出来ていて、その耳の中には安易な三角形が、鼻には安易な放射線が埋め込まれている。私は愛玩物としてのキャラクターたちにいつも、シンパシーを感じていた。血肉の表面が単純な幾何図形でデフォルメされ、可愛いだの可愛くないだの、笑っているだの喜んでいるだのと一方的な認知をぶつけられる。ぶつけられる事に価値がある。価値の中に安住できる。

こっちだって同じだ。私たちは単純であればある程に尊い、液晶のスワイプと同程度に軽薄なのが素晴らしい。弾むようなテンポで互いをつつき合うような、対話とも呼べないコミュニケーションの旨みを最初に発見したのは、きっと私だ。同時にその残酷さに目を向けられているのも。だから私は一番軽薄で、それでいて醒めていなければいけないのに。

猫の腹はジッパーで縦に裂かれ、淡いパステルトーンの文房具たちがこれでもかという程に詰めこまれている。半円の中で比率を違えない笑顔は間抜けなようにも、毅然としているようにも見えた。

それから完全に日が暮れるまで、吸い込まれるように私は勉強した。マユの言葉を紛らわすには、それしか術が無かったのだ。

「そういう所、好きだよ」

どんなに無視しても、彼女は懲《こ》りなかった。ときたまリップクリームを塗り直したり鏡を取り出したりしながら、滑らかな表情で笑った。その余裕は、まるでこちらの方が拗《す》ねたガキであるかのような錯覚を私に与える。不快だ。

おそらく、解釈されるのは一番の屈辱だった。


返却されたテストは、いつも私の輪郭をつくってくれる。クラスの皆が歯茎をむき出しにして笑う時。先生がからかう時。合格ボーダーからは程遠い点数にふちどられ、私はいつも過不足なくモルヒネになれた。赤い斜線ばかりの解答用紙たちは、沢山の切り傷を負って帰還した兵士のようで、とても格好良かった。

「どうした、やれば出来るじゃないか」

教師がおずおずと私の目を覗く。七十一点。マルがかなり多い。小テストで平均を超えるのは、中学生の時以来だ。普段の三倍近くは高い点数を前に、私は立ち尽くす。

何もかも前日のマユのせいだ。列が詰まっている事にしばらく気が付かず、私は茫然《ぼうぜん》とした。もう一つの感情が、自分の中で生まれ始めていた。これは何なのだろう。指先に熱がこもり始めた頃に、やっと席へ戻る。

私が座りかけたその時、真柴の名前が呼ばれていた。いつも通り頭をかきながら答案を受け取り、半分に折ってから大きく天井を仰ぐ。「終わったわ」「え、何点」「お前から言え」肌の浅黒い仲間たちに囲まれ、あいつの顔はすぐに見えにくくなる。屈託のない笑顔が、隙間から少しだけ覗いた。

「モルヒネ、今日は勉強しないの」

掃除用ロッカーの扉を閉めると、背後からマユの声がした。

「なんで」

私が目いっぱいにそう返しても、忙しなく飛び交う生徒たちの声にすぐさま溶けてしまった。

「なんで？」

だからもう一回はっきりと発音したのに、どうして二回も言うの、おかしい、とマユはくすくす笑う。許されるのなら、この場で泣きたかった。変わらない様子でそこにいる彼女を気持ち悪いと感じてしまう。そんな自分が一番みっともなくて、思いきり息を吸う事すらも躊躇《ためら》われた。

恋、という気持ちを私は知らない。それを通過した人間はすべて、湿っていて小汚い電信柱の根っこのような、ある種の不潔さを得てしまうのだと思っていた。クラスの女子がそれぞれ恋愛について語る度に、ああそいつもか、こいつもか、と内心冷めていたのだ。根本をただせば欲であるはずのそれを宗教にまで昇華する彼女らは、ひたむきであるからこそ、余計に可哀想だった。

「全部ダメになった」

そう言って振り向いた私を見ながら、マユは伸びをしている。

そんな恋が本当に「絶対」になるのなら、私はどうしてそれを手に入れられないのだろう。目の前の彼女は、どうして解像度がブレないままでいつも存在出来るのだろう。私に、何かを委ねながらも依存しないのは、なぜなのだろう。

「え？　何？　てか、さっき先生に褒められてたね。モルヒネもしかして、点数良かったの？」

かかとをゆっくり下ろしながら、マユはそう聞く。

「嬉しかった？」

確かに嬉しかったのだと思う。他人と肩を並べて正当に認められる事は、健全な喜びだった。ずっと忘れていた生き方の基本でもあった。

あの時私はかすかに高揚し、そして染み入るような安堵に身を任せていたのだ。

「嬉しくない、全然嬉しくない」

私は喉から一生懸命そう吐き出すと、昇降口へと歩き出した。私を追いかける彼女の足音は、どんなに歩幅を広げても止まない。

「あのさ」

私は階段の三段目で足を止めた。平行に並んだ濃い緑の滑り止めに、つま先を合わせる。

「困るんだよ、本当に」

何がー、と甘く伸ばして答えるマユの声に被せて、喋り出す。彼女と自分との間にある静かな隔たりは、マユには見えていないのだろうか。

「変に見透かした気になってるんでしょ。お前と真柴がどうなろうと知ったこっちゃないし、私的にはマジでどうでもいいし。マユが私を好きとかそういうのもほんと、興味ないし。ごめん、死ぬほど興味ない」

私の声はかなり空々しく響いた。ぬめぬめと活きたままの心臓を、乾いたガーゼで潰されるような心地がする。手遅れだった。

「健康なんだろ、お前ら。利益と不利益で人を好きになったり嫌いになったりする、ゴミの分別みたいに生きてくのが、健康なんだろ。じゃあ私にちょっかい掛けてくんなよ、健康な世界で健康に生きてればいい。勘違いするな、お前らが楽しいのは信念がないからだよ、馬鹿だね」

呼吸が浅くなり、鼻の奥に微熱が溜まるのが分かる。私は急いで言葉を継いだ。

「そんな、点数が高くなったとか痩せたとか、ちっさい事で自己満足するような、健やかで馬鹿な人間じゃ、ないんだよ。そもそも生まれた星が違うの。私は、もっと別のものに重きを置いてんの。分かる？　本当なんだってば」

本当なんだよ、と何回言っても、胸の奥を突かれるような悲しみは止まらなかった。私は私に、屈服してしまったのだ。

おめでたい価値観を叩き割られたのは、真柴じゃなくて私の方だった。

「……ごめん」

言葉がこぼれる。

泳がせた目の先で一瞬だけ捉えたマユは、薄い唇を噛みながらも真摯にこちらを見ていた。私はすぐに焦点を足元に戻す。

もうダメだ。

「絶対」や「軸」が崩れ去る事は、悪い事じゃないらしい。今の私は神様を失いかけているし、きっとこれからどんどん俗になっていくだろう。ぐちゃぐちゃに惨めでどうしようもなかった。一旦欠けた十字架は、もう元に戻らない。

大丈夫。どんなふうになっても私は、生きていけるはず。青天は尊くて雨は忌《い》むべき。美味しいものは写真に撮って、親の誕生日をただしく祝う。ダイエットと成績で頭を悩まし、ウザい、キモイ、可愛い、いいね、それらの軽さを楽しむ。その感性が私にもある事実は、吐きそうな程に残酷で、埃をかぶりながらも真っ直ぐに輝いていた。

「『モルヒネ』でいたかった」

マユの目を見ずに、私は確かにそう、呟いた。

3

今日の体育サッカーだってー、という体育委員の連絡を受け、俺は大きくガッツポーズをした。「覚悟しとけよ」「お前もな」高ぶる興奮をいつものメンツと分かち合い、女子が更衣室へ移るのをうずうずして待つ。

体育前の教室は完全なる無法地帯だ。先程まで女子がいたとは思えない程ハチャメチャに様変わりする。何がって、話す内容が。

「津山《つやま》可愛くね、あの二組の」

「お前ロリコンなの」

「いやそれ、俺っつうか津山に謝れよ」

「俺はもっと胸大きいのがいいわ、高梨《たかなし》とか」

「あいつ性格クソじゃね」

制服と一緒に心の殻まで脱ぎ捨て、下品な会話に興じるこの時間が俺は好きだ。ジャージを着てグラウンドへ向かうのも惜しく感じるくらいには。でもその後のサッカーはもっと好き。

「うわ、ジャージの下ないんだけど」

「隣のクラスに借りれば」

「いや、三組は移動教室で誰も居ねえ」

「がちやばいな」

俺と喋っていた前田《まえだ》が、パンツ一丁でキョロキョロし始める。俺は途方もなく間抜けなその姿に腹を抱えて笑った。「お前もうそのままでもいいんじゃね」「俺にも尊厳ってのがあるんだよ、マジでどうしよ」

「あ」

そいつが思い出したように俺の後ろを見た。

「寄田《よりた》確か見学だよな、ちょっとジャージの下貸してくんね」

「いいよ」

白い手が横から伸びる。サンキュ、と前田は相手の目を見ずにジャージを受け取り、すぐに足を通した。「尊厳ゲットだぜ！」「うるさ」

俺が心の中で「ガム」と呼んでいたあいつの名前を、その時ようやく思い出したのだ。


「早見さんに秘密？」

あの時ガムは、目を丸くして叫んでいた。

「ああ、さっき言ったみたいなおかしい事が今日あって。つーかちょっと声抑えろ」

本来なら部活動時間である十六時の駐輪場は、足音が跳ね返って耳に届くほど静かだ。しかし誰もいないという保証はない。俺は人差し指を口に当て、ガムを制した。

「お前早見の事オタクかってくらい好きだろ。何か情報知らねえ？」

ガムは首をぶんぶんと振って肩を落とす。

「僕なんかが知るわけないよ、というか真柴君、早見さんの彼氏だったんだね。そっちのがショックだ」

どんよりと重みのある空気が二人を包む。アスファルトに転がる小石を蹴って、俺はおおげさなため息をついた。オーバーな人間の動作をあまり見慣れていないのだろうか、何気ないその様子にさえ怯《おび》えるガムを、面倒くさいな、と思いつつも、俺は「なんか、ごめん」と言う。しばらくあいつのチープな感じの靴、ママに選んでもらいましたって感じの靴紐がない靴を見ながら俺は口をつぐんでいたのだが、ふと、ガムは腕を組み考えるような仕草を見せ、おずおずと言う。

「協力、出来るかもしれない」

「え、マジ？」

活きの良いバネのように身を乗り出す俺に、あいつは苦い顔で「ただし」と付け加える。

「ちょっと倫理的に危ないかもだけど」

「なんでもいいよ、頼むから教えろ」

そのただならぬ口調に少し恐怖を覚えながらも、俺は土下座の勢いで頭を下げた。

話によると、ガムは地下アイドルの追っかけをしているらしい。この事をあいつはまるで一世一代の告白でもするかのように打ち明けてきたのだけれど、さして意外に感じず、俺はほんの三パーセントも表情を変える事が出来なかった。まあ、お前秋葉原とかいそうだし。それで？

「それで、ぼくの仲間の中でもたまに危ない奴がいて、そいつは茂原《しげはら》っていうんだけど。推しメンへの差し入れにGPSを仕込んでたんだ。ぼくが直前に気付いたから回収出来たものの、あの子の手に渡ってたらどうなってた事やら」

早口でまくしたてるあいつを前に、俺は嫌な予感を覚え始めた。背中に冷たい汗が走る。何の話だよ、結論から言えよ。

「そのGPSソフトを仕込む方法と認証アドレス、僕が知ってるんだけど……良ければ使う？　設定のやり方なら分かるから」

なにそれ、早見をストーキングするって事？　ヤバいじゃん、犯罪じゃん。というかそれで何が分かるの、分かった所で何になるの。後になって考え直したら、踏みとどまる材料なんて溢れるほどに出てきた。しかしどうしても俺はその提案を断わる事が出来ず、えさに群がる鯉のごとく食いついたのだ。むしろこの行動で、早見に対する好意の大きさ、真剣さを示す事が出来るとまで考えていた。示す相手なんてどこにもいやしないのだが。

使う、と口が勝手に動いていた。

「オーケー、明日それ、持ってくるね」

自転車のスタンドを勢いよく蹴り、あいつはばいばい真柴君、と手を振った。

真柴で良いよ。ほんとに？　じゃあ、真柴、ばいばい。

ガムが遠ざかるごとに、影が細く伸びる。その幅が縮まる度に息が苦しくなって、なぜそうなるのかもよく分からずに、俺は首と肩をぐるぐる回した。小気味よい骨の音が響く。このスリルに近い高揚感は、部活をサボってしまった事によるのだろうか。もしくは。

突き刺すような笛の音と、芝生を駆ける足の群れ。激しく回るボールを巡って勃発するドラマ。俺らの勝ちは敵の負けで、敵の勝利は俺らの敗北。飛び散る汗が語る夢、誰も予想できないその結末。グラウンドの真ん中で最も輝いていたはずの俺は、ホイッスルとタイマーを持たされ、試合の動向を見守っていた。

影がフェンスに透け、そのままブロック塀に沿って曲がる。

「元気出しなって、真柴」

ガム、もとい寄田がおずおずと肩を叩いた。俺は心の中で軽い舌打ちをしながら、口角の上がらない生返事でそれに応える。

十分前、膝に擦り傷を作ってしまった。痛くも痒くもないからこのまま試合に出させて欲しい、そう何度も懇願したのだが、先生の主張は「保健室で消毒してもらってこい、見学しろ」の一点張りだった。皆が見ている中で派手に転んだ事への恥ずかしさよりも、全身のエネルギーを漲《みなぎ》らせ臨んだ試合から疎外される悔しさ、惨めさが俺を包んだ。

「大丈夫か」と心配してくれる奴らに笑顔で振り向き、「俺がいなくてもこのチーム、機能すんのか？」と軽い冗談を投げる。ドッと場が和み、俺は右腕を上げ脇の下からそれを見届けてベンチに向かった。

ほどなくして、「ナイス」「やるじゃん」なんて爽やかな掛け声が耳に届いた。俺は土をつま先で掘って、それらを必死に埋めようとする。何度も、何度も掘っては埋め、掘っては埋め、を繰り返した。それでも全く消えずに、苛立ちが募る。

隣で見学レポートを書いている寄田の横顔を、ちらりと見た。無関心、なのだろうか、多数の人間がめまぐるしく巻く渦に、自分も混ざりたいとは思わないのだろうか。微塵《みじん》も思わないのか。俺からすると謎というか、とにかく不思議だった。

ダチに勧められてインストールしたパズルのアプリや、ダチに借りて読破した漫画。そういうので俺は楽しく過ごせているから、誰も知らないようなアイドルのために時間を割《さ》くこいつの事は、いまいちよく分からない。友達いないのかな、と思ってしまう。いやいないんだろうけど、そうじゃなくて、話題を近しい誰かと共有しようとは考えないのだろうか、という素直な疑問があった。趣味とは言っても、やっぱそういうのって大事らしいじゃん。あ、ネットでファン同士の繋がりがあるとかそういうアレなのだろうか。俺よく知らないけど。

「ねえ、真柴」

不意に寄田が顔を上げた。俺の肩はビクリと動いてしまい、今考えていた事を少しも悟られないように注意して、笑顔を作る。

「なんだよ」

「そういえばあれの件、どうなったの」

「あれって……あ、早見の話か」

女子は体育館でバスケをしているらしい。俺は「最悪だったよ」とため息混じりに答える。

「東京に通ってるのが分かった時から、隠れ不良なのかなとは思ってたんだけどさ。実際に俺、この目で見ちゃったんだよ。いいか、聞いて驚くなよ、あいつエンコーしてるかもしんねぇ」

「うん、それで？」

「それでってお前、ショックじゃねぇのかよ。俺は引いてそのまま別れた。要するに俺も遊ばれてたって事だろ。百年の恋も冷める、的なやつだろ流石《さすが》に、だってておっさんとイチャイチャしてんのこの目で見て――」

「あなたは遊びですって、実際に言われたの？」

寄田が首を傾げる。

「彼女がそんな子だったのにはびっくりだけど、だからってなんで好きじゃなくなるの？」

それは、と返そうとして俺は、そのまま地面に目を泳がせてしまう。なんで、ってなんだよ。考えたら分かるだろ。ここで「君は自分の世界の中の早見さんが好きだった、それだけなんだね」なんて綺麗事を、妬ましく吐くつもりかよ。同じ立場なら、お前も絶対に嫌になるだろ。

俺は被害者なんだぞ。

「知らねえよ」

「まあいいや。そういえばあの日、尾行についていけなくてごめんね」

寄田は俺の怒りには気付かず、まして嫌味を突き付けてくる事もせずに、言った。俺は呆気に取られ、別にいいけど、と間抜けに返す。

「ＧＰＳを手掛かりに、一人で早見さんについていったの？　それとも、僕の代わりに誰か誘った？」

俺は、答える事が出来なかった。

耳を殴るようなホイッスルが鳴り、先生が集合の呼びかけをする。磁石に集まる砂鉄のようにすばやく、キラキラの笑顔で整列する皆。エラの張った体育教師の顔、脱ぎ捨てられたジャージ、風に身を任せる枯れ葉、グラウンドからさらに向こうの時計塔。目に見える全てが、夏でもないのに蜃気楼で歪んだような気がした。

「諦めんな」

あの時そう吐き捨てて走り出したモルヒネの瞳は、明らかに大切な何かを失っていた。それが良いものなのか悪いものなのかは分からない。軸、というのか、骨、というのか。とにかくあの時、あいつの表情はちぐはぐでバラバラ、何者にもなれない顔をしていたのだ。おそらくは早見でなく、俺の言動のせいで。

すぐに頭を振り、ぞろぞろと校舎へ向かう群れに俺は飛び込む。ドッと沸く笑いや小突き合い、そういうもので俺は生かされているし、きっとそれは変わらない。知るべき事も知らなくて良い事もあるけれど、知っても知らなくてもさして変わらない事だって、当然あるのだ。大丈夫、俺は大丈夫。

白い月がぼうっと浮かんで、いつまでも星を隠していた。

装丁　佐々木俊（ＡＹＯＮＤ）

初出　「文藝」二〇二〇年冬季号

新胡桃（あらた・くるみ）
二〇〇三年、大阪府生まれ。現在高校二年生。
二〇二〇年、第五七回文藝賞優秀作を受賞。

星に帰れよ

二〇二〇年一一月二〇日初版印刷
二〇二〇年一一月三〇日初版発行

著　者　新胡桃
発行者　小野寺優
発行所　株式会社河出書房新社
〒一五一-〇〇五一　東京都渋谷区千駄ヶ谷二-三二-二
電話　〇三-三四〇四-一二〇一（営業）
〇三-三四〇四-八六一一（編集）
http://www.kawade.co.jp/

組　版　KAWADE DTP WORKS
印　刷　大日本印刷株式会社
製　本　加藤製本株式会社

Printed in Japan
ISBN978-4-309-02931-3

水と礫

藤原無雨

東京でのドブ浚いの仕事中の事故をきっかけに故郷へと戻ったクザーノは、砂漠のむこうの幻の町へ旅立った——回帰する灼熱の旅が、一族の風景を映し出す。破格の新星誕生！　第五七回文藝賞受賞作。

破局

遠野遥

私を阻むものは、私自身にほかならない――ラグビー、筋トレ、恋とセックス。ふたりの女を行き来する、いびつなキャンパスライフ。二八歳の鬼才が放つ、新時代の虚無。第一六三回芥川賞受賞作。